Italian

Prod No.:	97276
Date:	21.05.18
Title:	*Polaroid: The Missing Manual*
Supplier:	C&C

T.P.S:	230 x 177mm, portrait
Extent:	240pp printed 4/4 on 157gsm Korean Nei Star matt art
PLC:	Printed 4/0 (process colours) on 128gsm glossy art paper; matt laminated one side only.
Binding:	Sewn 15 x 16s page sections, first and second lined, square backed with stiff spine inlay, 1.5mm boards. Endpapered with 140gsm woodfree paper printed 1/1 PMS 3262U (turquoise), H&T bands ref. A1173 (turquoise).

POLAROID

IL MANUALE CHE STAVATE ASPETTANDO

RHIANNON ADAM

POLAROID

IL MANUALE CHE STAVATE ASPETTANDO

GUIDA CREATIVA COMPLETA

GRIBAUDO

A Melinda, per tutto, sempre. Senza quello che
hai fatto, non avrei mai potuto scrivere questo libro.

E a Nan, da cui ho ereditato il gene del
"collezionismo", che ha incentivato le mie passioni,
ma purtroppo non hai visto realizzarsi tutto ciò.

Naturalmente, anche a Edwin Land e Florian Kaps,
che hanno fatto avverare i sogni e mantenuto accesa
la fiamma.

POLAROID - IL MANUALE CHE STAVATE ASPETTANDO

Titolo originale: *Polaroid: The Missing Manual*
© 2017 Thames & Hudson Ltd, 181A High Holborn,
London WC1V 7QX

Testi: Rhiannon Adam
Design: Kate Slotover
Traduzione e cambio lingua: Valeria Bovè

PER L'EDIZIONE ITALIANA
© 2017 Gribaudo - IF - Idee editoriali Feltrinelli srl
Socio Unico Giangiacomo Feltrinelli Editore srl
Via Andegari, 6 - 20121 Milano

info@gribaudo.it - www.gribaudo.it

Prima edizione 2017 [10(C)]
Seconda edizione 2018 [7(C)] 978-88-580-1859-0

Stampato in Cina da C&C Offset Printing Co. Ltd

IL RAZZISMO
È UNA
BRUTTA STORIA.
razzismobruttastoria.net

Sommario

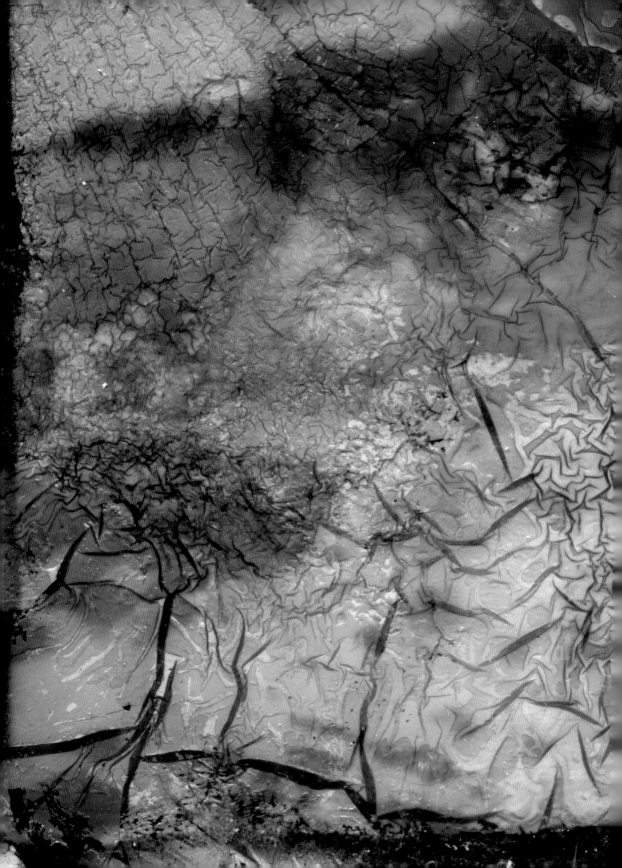

Nota dell'autrice

Ho iniziato a scattare Polaroid in modo continuativo quando avevo dieci anni. Mi ricordo la prima volta che ho tenuto in mano la fotocamera, ascoltato lo scatto e il ronzio dopo aver premuto il pulsante e osservato la magica apparizione della foto dalla pellicola grigia. Ero senza parole. Quale strana alchimia stava avvenendo in quel piccolo quadrato di plastica? Ancora adesso rimane un enigma.

Ogni immagine è frutto della collaborazione tra il fotografo, la pellicola e l'ambiente che lo circonda. La chimica contenuta nella pellicola dà a ogni Polaroid un aspetto unico. I colori cambiano a seconda della temperatura esterna e l'immagine diventa nostra, per sempre modificata da come l'abbiamo "cresciuta" durante lo sviluppo, diventando una parte stessa del posto in cui ha preso vita. "Leggere" una Polaroid è come intraprendere uno scavo archeologico: crepe sulla superficie, tonalità, *texture* e imperfezioni rivelano molto più di quanto è rappresentato nell'immagine. Possiamo guardare attraverso la foto come fosse il buco di una serratura sul passato.

L'analogico sta ora vivendo una nuova stagione. Forse in quest'epoca digitale, dove passiamo molto del nostro tempo davanti a uno schermo, sentiamo il bisogno di un po' di realtà, qualcosa che ci ricolleghi a uno spazio tridimensionale. E questo è ciò che fa una Polaroid. Si tratta di un oggetto unico. È come una piccola scultura, l'intersezione tra la fotografia e un'opera d'arte, non effimera ma realmente tangibile. A differenza delle migliaia di fotografie digitali scattate ogni minuto, una Polaroid rimane "speciale", ognuna trasuda un insito senso di intimità e autenticità.

Come diceva un vecchio motto, le Polaroid uniscono le persone. Ho fotografato chiunque, dai bambini agli ottuagenari, nell'incantesimo della propria vita. In fondo ognuno di noi ama ricordare i momenti di questa magia.

Nel corso del tempo le Polaroid sono state utilizzate in ogni possibile applicazione, dai provini alla sceneggiatura, dalle assicurazioni alle carte d'identità e dalla pornografia al monitoraggio. Film come *Cercasi Susan disperatamente* (*Desperately Seeking Susan*, 1985) e *Memento* (2000) hanno consolidato il posto delle Polaroid nella cultura pop. Sono state scritte canzoni su di esse e realizzate sia copertine di album sia video musicali. Paradossalmente anche il vecchio logo di Instagram era basato sulla fotocamera Polaroid 1000. L'umile Polaroid è la rock star del mondo della fotografia: ribelle e un po' sovversiva.

Polaroid è più che un semplice formato; la sua stessa invenzione è la dimostrazione che il potere dei sogni è più grande di quanto ci stia davanti e questo è, anche, il pensiero guida di questo libro. Sperimentare, godersi sempre il viaggio e non avere paura di spostare in avanti i limiti. Nelle parole di Edwin Land, fondatore di Polaroid: «Mai intraprendere un progetto finché non sarà esplicitamente importante e pressoché impossibile».

Oh, e ancora una: mai e ripeto mai, scuotere una Polaroid...

La mia prima Polaroid. Scattata con una SX-70. La donna che mi tiene in braccio è mia nonna.

Come usare questo libro

La fotografia con pellicole istantanee può a prima vista
sembrare un campo minato: tanti formati sono stati dismessi,
altri invece vengono ancora prodotti; vale la pena acquistare
ancora alcuni di quelli dismessi, mentre ce ne sono
di inutilizzabili. Molte vecchie fotocamere possono essere
usate con pellicole moderne, mentre parecchie altre, più
recenti, sono completamente irrecuperabili. Il gran numero
di fotocamere disponibili può sconcertare, con prezzi che
vanno da pochi euro a diverse centinaia, anche per modelli
molto simili. Inoltre, certe tecniche creative richiedono
pellicole con particolari emulsioni, al di là del formato.

Allora, da dove iniziare? Ciò dipende in gran parte da
ognuno di noi. Questo manuale è diviso in due parti: la *Parte
1. Guida alle fotocamere e alle pellicole* tratta la tecnologia
e la storia della fotografia istantanea, raccontata attraverso
capitoli dedicati a specifiche fotocamere e pellicole. Le guide
alle fotocamere affrontano aspetti tecnici che dobbiamo
conoscere per poterle usare, mentre le sezioni sui cimeli
illustrano modelli chiave della produzione di fotocamere
istantanee che ora è più opportuno collezionare che usare.
La *Parte 2. Tecniche creative* illustra un'incredibile gamma
di effetti realizzabili con le pellicole istantanee avvalendosi
di immagini di supporto scattate dai più innovativi fotografi
che utilizzano questo media ai giorni nostri. Nel libro
troviamo anche un'estesa sezione dedicata alle risorse,
compresa un'utile tabella delle compatibilità delle pellicole,
una lista di rivenditori e consigli sulla sicurezza.
Prima di incominciare diamo un'occhiata alla guida rapida
alle fotocamere (p. 10), per poterci muovere più facilmente
all'interno di questo volume.

Se possediamo già una Polaroid e sappiamo come funziona, potremmo passare direttamente alla *Parte 2*, utilizzando la tabella nella pagina seguente per controllare quali pellicole siano necessarie per ogni specifica tecnica e la guida qui sotto per la compatibilità con le fotocamere. Quando, nella tabella a fianco, è indicata la compatibilità con le pellicole "Polaroid originali", si intendono tutti i formati prodotti da Polaroid. Di tutti i modelli indicati qui sotto, solo la stampante istantanea Fuji Instax e le fotocamere Impossible sono attualmente in produzione.

Fotocamere Peel-apart
Tra le pellicole fuori produzione, le peel-apart (pp. 22-23) sentono meno il peso dell'età. Ve ne sono di forma e tipo diversi ed esistono molte pellicole compatibili. La lista completa è nella tabella alle pagine 30-31. Le migliori fotocamere di questo tipo sono illustrate nella guida all'acquisto (pp. 38-39). I principali formati di pellicole in cartucce comprendono i tipi 669, ID-UV, 665 e Fuji FP-100C. (**pp. 26-39**)

Fotocamere SX-70
(pp. 42-43) Sono le prime fotocamere integrali e hanno avuto una lunga vita. Le più amate sono quelle della serie SX-70 SLR, che oggi MiNT vende, rimesse a nuovo: sono tra le più flessibili fotocamere compatibili con SX-70. Con questa macchina possiamo utilizzare sia le pellicole originali Polaroid SX-70 sia quelle nuove di Impossible. (**pp. 44-56**)

Fotocamere 600
Queste fotocamere integrali sono venute dopo la serie SX-70. Ce ne sono diversi modelli, pieghevoli e non. Sono compatibili con pellicole 600 *speed integral*, sia quelle fuori produzione e meno affidabili della Polaroid, sia quelle di Impossible Project 600. Troviamo le migliori opzioni nella guida all'acquisto alle pagine 62-63. Le 600 sono un buon punto di partenza per iniziare con la fotografia istantanea. (**pp. 58-63**)

Fotocamere Spectra
Questo modello è anche conosciuto e venduto come Image e Minolta Istant Pro, identiche alla Spectra Pro. Funzionano tutte con pellicole fuori produzione Polaroid Spectra, Image o 1200, ma i risultati non sono costanti. Impossible Project produce pellicole compatibili con queste fotocamere. (**pp. 66-71**)

Stampanti istantanee
Sono stampanti che copiano il materiale sorgente su pellicole istantanee. Alcune sono compatibili con smartphone, come l'Instant Lab di Impossible, mentre altre usano l'accessorio copy-stand o diapositive 35mm. Instant Lab permette di fotografare la schermata di uno smartphone e di riprodurla su pellicola Impossible. Queste stampanti sono utili per provare tecniche creative senza rovinare gli originali. (**pp. 72-75**)

Fotocamera Fuji Instax
Le pellicole Fuji Instax sono meno flessibili rispetto alle pellicole Impossible e alle peel-apart, a causa della chimica e della struttura, ma contengono reagenti che rendono ancora possibile realizzare alcune tecniche creative. Vi sono diversi modelli di fotocamere tra cui scegliere. Alcune di queste hanno modalità creative che possono essere utilizzate anche senza la conoscenza specifica di quelle tecniche creative. (**pp. 78-81**)

Fotocamere Impossible I-1
Fotocamera molto flessibile progettata per essere utilizzata esclusivamente con pellicole Impossible I-1. Sebbene i primi modelli abbiano avuto dei problemi, la compatibilità con le app ha reso disponibile una serie di funzioni mai viste su fotocamere Polaroid non professionali. (**pp. 82-89**)

Tecniche creative
Guida alla compatibilità delle pellicole

Tecniche creative	Pellicole integral			Pellicole peel-apart		
	Polaroid originali	Impossible Project	Fuji Instax	Fuji FP-100C	Polaroid originali (non tutte)	Polaroid 55, 665 e New 55
Transparency/Dry Lift (pp. 96-99)	X	X	-	-	-	-
Pellicole Polaroid scadute (pp. 100-103)	X	-	-	-	X	-
Lunghe esposizioni (pp. 104-107)	X	X	X	X	X	X
Esposizioni multiple (pp. 108-113)	X	X	X	X**	X**	X**
Manipolazione cartucce (pp. 114-123)	X	X	X	X	X	X
Bruciatura controllata (pp. 124-125)	-	X	-	-	-	-
Light Painting (pp. 126-129)	X	X	X	X	X	X
Mosaici (pp. 130-133)	X	X	X	X	X	X
Trasferimento immagini (pp. 134-139)	-	-	-	X	X	-
Emulsion Lifting (pp. 140-149)	-	X	-	X	X	-
Manipolazione emulsione (pp. 150-155)	X*	X	-	-	-	-
Finger Painting (pp. 156-159)	-	-	-	X	X	-
Scratching and Scoring (pp. 160-161)	X	X	-	X	X	X
Polaroid Decay (pp. 162-165)	X	X	-	-	-	-
Polaroid nel microonde (pp. 166-169)	X	X	X	X***	X***	-
Polaroid Destruction (pp. 170-173)	-	-	-	X	X	X
Recupero negativi Fuji (pp. 174-177)	-	-	-	X	-	-
Recupero negativi Impossible (pp. 178-181)	-	X	-	-	-	-
Negative Clearing (pp. 182-185)	-	-	-	-	-	X
Polagram (pp. 186-189)	X	X	X	X	X	X
Cianotipie (pp. 190-195)	-	-	-	X	-	X
Experimental painting (pp. 196-199)	X	X	X	-	-	-
Sviluppo manuale (pp. 200-201)	X	X	X	-	-	-
Manipolazione rulli (pp. 202-205)	X	X	X	X	X	X
Interrupted Processing (pp. 206-209)	-	-	-	X	X	X
Colour Injection (pp. 210-213)	X	X	X	-	-	X
Projection Printing (pp. 214-217)	X	X	X	X	X	X
Collage e Mixed Media (pp. 218-223)	X	X	X	X	X	X

X* – Solo alcuni tipi, controllare la lista materiali.
X** – Non illustrata nelle tecniche creative, non serve manipolazione.
X*** – Non illustrata nelle tecniche creative, ma possibile con qualche regolazione.

Introduzione

Polaroid è un marchio famoso come Hoover, Sellotape o Google, nomi così importanti da entrare nei dizionari e diventare sinonimi di azioni, cose o, nel caso di Polaroid, anche di un mezzo di comunicazione. Il nome stesso è diventato perfino più grande di quanto sia mai stata la Polaroid stessa, assumendo il significato di fotografia istantanea.

Non è senza una sorta di ironia, dato che la Polaroid Corporation ha dichiarato bancarotta nel 2001, che una delle più importanti risorse sia stato il marchio stesso, più ricordato di tutti gli anni di ricerca e di innovazione chimica. Gran parte di quanto la Polaroid ha creato è stato frammentato e liquidato, e quasi tutti i macchinari di fabbrica sono stati smantellati e venduti come ferraglia. Oggi la nuova Polaroid, mandata avanti dai proprietari Gordon Brothers e Hilco Consumer Capital, ha in sé poco del nome originale, legato alla produzione di fotocamere, ma è diventata più che altro il simbolo di uno stile di vita.

Prima dello smembramento, la Polaroid era un'industria da diversi miliardi di dollari, e al suo massimo splendore ha avuto più di 20.000 dipendenti. Polaroid ha incarnato l'essenza del sogno americano.

La Polaroid è nata dall'impegno di un singolo uomo, Edwin H. Land, che, grazie a una ferrea forza di volontà e al duro lavoro, ha immaginato un futuro e l'ha reso possibile. Land era un visionario. Egli ha mantenuto il controllo su tutti i processi decisionali e gli sviluppi, e ha individuato con anticipo i problemi, risolvendoli con un'eleganza che ci fa chiedere come mai nessuno ci avesse pensato prima.

Nel 1926 un giovane Land, mostrando un forte interesse per l'ottica, abbandonò lo studio della chimica ad Harvard per andare a New York. Anche se negli ultimi anni di vita è stato chiamato spesso dottor Land, egli non ha mai completato un corso di laurea, né tanto meno dottorati di ricerca, però ha ricevuto numerosi riconoscimenti onorari da istituzioni di tutto il mondo, compresa la stessa Harvard.

Fu qui che realizzò la sua prima invenzione: un sistema di polarizzazione sviluppato nel 1934 sotto forma del primo film polarizzatore in grado di intervenire sul movimento delle onde luminose. Questo foglio poteva essere applicato ovunque fosse fondamentale il controllo dei livelli di luce e una sua variante è tuttora utilizzata per gli occhiali da sole polarizzati, negli obiettivi fotografici, negli schermi LCD e nei fari delle auto, che poi era lo scopo per cui era stato progettato.

Fu proprio questa invenzione che diede il nome all'azienda. Nel 1934 Land, insieme all'amico Clarence Kennedy, fotografo d'arte e storico dell'arte allo Smith College, per trovare un nome commerciale alla sua creazione decise di combinare il suffisso *oid*, preso dal termine "celluloide", il prodotto base della fotografia, con il termine *polarizer*. Naque così il marchio Polaroid, che caratterizzò tutte le invenzioni elaborate e messe in vendita da quest'uomo.

In pochi anni i laboratori di Land si fecero sempre più solidi. Nel 1938 Land trasformò in realtà il film in 3D, progettando degli occhiali 3D basati sul suo sistema polarizzatore, che furono presentati alla New York World Fair. La Polaroid di Land fu pesantemente coinvolta

In alto: Edwin Land nel suo ufficio, ca. 1943.
In basso: Land e sua figlia Jennifer, ca. 1945.

negli sforzi bellici dal 1941 al 1944, con lo sviluppo di una serie di prodotti che includevano anche gli occhiali polarizzati. Più tardi, durante la guerra fredda, Land offrì a Eisenhower la sua esperienza nello sviluppo degli aerei spia U-2.

Nel frattempo la Polaroid iniziò a espandersi impiegando diverse figure chiave che avrebbero contribuito a forgiare la storia della compagnia. Una di esse fu il suo compagno di studi Howard Rogers, che inventò la molecola magica alla base delle pellicole a colori Polaroid (pp. 42-43).

Non fu che all'inizio degli anni Quaranta che Land iniziò a pensare alla fotografia istantanea. Verso la fine del 1943, era in vacanza con la famiglia in un resort poco fuori Santa Fe, in Messico. Un giorno uscì a fare una passeggiata con la figlia di tre anni, Jennifer, portando la propria fotocamera Rolleiflex. Jennifer, con l'innocenza dei bambini, pose una domanda che avrebbe modificato il corso della lunga carriera di Land: «Perché non posso vedere subito le foto?».

L'idea venne buttata giù in poche ore dopo il rientro. In laboratorio fu assegnato al progetto il nome SX-70, dato che durante la Seconda guerra mondiale Land aveva lavorato a molti progetti che avevano nel proprio nome il suffisso SX, che stava per *special experiment*.

Nel 1947, solo quattro anni più tardi, Land presentò alla Optical Society of America il primo sistema di fotografia istantanea (la fotocamera istantanea a rullino, pp. 26-27), in quella che sarebbe diventata la sua più famosa dimostrazione di prodotto e che avrebbe cambiato per sempre il mondo della fotografia.

La prima fotocamera Polaroid fu il grande successo che si poteva immaginare e, sebbene Land stesso fosse riluttante ad apparire come l'eroe dello spettacolo, il suo nome apparve sul corpo della fotocamera o nella letteratura di ogni macchina Polaroid, fino all'uscita della Spectra, (pp. 66-71) nel 1986.

Fu solo nel 1972, dopo ventinove anni di progettazione (durante i quali videro la luce altri articoli strabilianti, come l'Automatic 100 e la gigantesca 20″ x 24″), che Land lanciò sul mercato il prodotto che aveva immaginato a Santa Fe: la *One Step Photography:* la semplice pressione del pulsante di scatto che porta all'immagine definitiva. Avendo utilizzato in questo studio la propria pellicola integrale (pp. 42-43), da poco inventata, finalmente giudicò che la macchina fosse meritevole del nome SX-70 (pp. 44-56).

Dopo il lancio della SX-70, la Polaroid procedette mettendo sul mercato altri validi prodotti, come la fotocamera 600, il sistema Spectra e il formato 500. Ci furono anche articoli dalla vita più effimera, tra i quali il sistema Polavision e la i-Zone. Noncurante delle sorti di questi ultimi e tirando dritto fino alla sua fine nel 2008, Polaroid si è attestata come grande marchio, spesso associato alla fotografia innovativa e all'avanguardia.

Dimostrazione delle lenti polarizzanti Polaroid

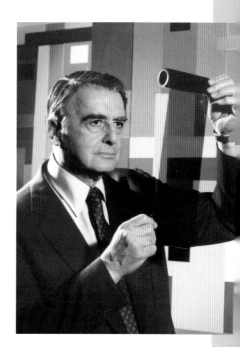

Land esamina materiale per negativi a colori, ca. 1960.

Le istantanee Kodak

Nel mondo della fotografia, Polaroid fu seconda solo a un'altra grande potenza americana, la Kodak Eastman. Per un periodo le due compagnie ebbero un rapporto reciproco. Nel 1934 Kodak firmò il primo contratto di una certa importanza con Land, per la fornitura di fogli polarizzatori. Quando Polaroid lanciò la prima pellicola istantanea nel 1948, fu Kodak ad aiutarla nella produzione, fornendo per i successivi vent'anni i negativi delle pellicole Polaroid. Kodak assistette perfino allo sviluppo della produzione della prima pellicola Polacolor.

Quando uscì la SX-70 nel 1972, all'insaputa di Polaroid la Kodak stava lavorando al proprio sistema di pellicole a cartuccia simile all'Automatic 100 di Land, il Lanyard, dove le pellicole venivano trascinate tra rulli da un cavo. Comunque il prodotto di Land era di molto superiore e il Lanyard fu scartato. I progettisti tornarono ai tavoli da disegno esaminando l'intricata struttura delle Polaroid nei più minuti dettagli.

Il 21 aprile 1976, infine, Kodak lanciò le proprie fotocamere integrali, la EK4 e la EK6, oltre alla pellicola PR-10. Solo sei giorni prima Polaroid aveva depositato una denuncia per violazione dei brevetti, citandone dodici relativi sia alle pellicole sia alle fotocamere. Dieci anni passarono nei tribunali. Il processo iniziò nel 1981 e durò settantacinque giorni. Land non abbandonò quasi mai l'aula e, quando il processo terminò, nell'agosto 1982, rassegnò le dimissioni dalla compagnia.

La sentenza fu emessa alla fine di settembre 1985. Nel frattempo le risorse di Polaroid erano salassate dalle spese legali mentre Kodak ci dava dentro, vendendo circa 16,5 milioni di fotocamere con relative pellicole. La Polaroid ebbe ragione in sette casi su dieci e Land ne fu entusiasta. Il giudice accettò la richiesta che la Kodak smettesse di produrre, vendere e promuovere i propri prodotti per la fotografia istantanea entro tre mesi. Kodak rifiutò andando in appello.

Quell'appello e i seguenti furono respinti e iniziò l'operazione di pulizia, anche per l'immagine della Kodak.

Nell'ottobre 1990, alla Polaroid fu conferito un rimborso di 909 milioni di dollari, il più grande risarcimento per infrazione di brevetti che fosse mai stato stabilito. Nel giugno 1991, alcuni mesi dopo la morte di Land, Kodak saldò il proprio debito pagando alla Polaroid la cifra di 925 milioni di dollari, interessi inclusi. Nel frattempo le azioni di Kodak salirono e quelle di Polaroid scesero ulteriormente.

Si può dire che la violazione dei brevetti sia stata responsabile della fine della Polaroid, in quanto durante quel periodo essa si concentrò interamente sulle pellicole istantanee e non si accorse dei cambiamenti che le stavano avvenendo attorno. Il risarcimento non fu abbastanza ingente da mettere al riparo la Polaroid dalla propria cattiva sorte.

Dall'alto: Kodak EK6 e EK1. Kodak Coca Cola Happy Times. Kodak Party Time Integral.

Fuji e Polaroid

Negli anni ci sono stati svariati tentativi di entrare nel territorio della Polaroid. Nel 1952 la società sovietica GOMZ, in seguito Lomo, fece una versione della Model 95 e nel 1972 negli Stati Uniti uscì la fotocamera Keystone di Berkeley. Successivamente, una fotocamera Keystone compatibile con la SX-70, la Wizard XF1000, conosciuta anche come Porst Magic 500 o Revue, e la sua "sorella" XF1500 furono tolte dal mercato a causa di una rimostranza di Polaroid sui brevetti.

Nel 1981 entrò in gioco il gigante giapponese Fujifilm. Le fotocamere istantanee Fuji Fotorama e le pellicole *integral* della serie F erano molto simili alle Kodak, e le due pellicole erano compatibili in entrambi i sensi. Polaroid aprì un contenzioso sui brevetti contro Fuji, ma in questo caso tra i due marchi si arrivò a un accordo che permise a Fuji di continuare la vendita delle proprie fotocamere e pellicole. In cambio Polaroid mantenne l'esclusiva negli Stati Uniti ed ebbe accesso a una serie di tecnologie di Fuji, incluse quelle digitali.

Questo accordo diede a Polaroid dei vantaggi in molte aree di progettazione e realizzazione. L'influenza di Fuji si vide in una lunga lista di prodotti rilasciati sul mercato da Polaroid, inclusi i videotape a marchio Polaroid, le pellicole convenzionali da 35mm e i sistemi di archiviazione digitale come i floppy disc. Alla metà degli anni Novanta Polaroid era il marchio fotografico che vendeva di più nel campo digitale.

Fuji e Polaroid avrebbero collaborato in numerosi prodotti e Fuji è stato anche il primo marchio a vendere pellicole compatibili con le fotocamere Polaroid, come le FP-100C, 100B, 3000B e i loro equivalenti nel formato 4"x5". Nel frattempo, la pellicola Fuji integral evolse nel sistema Fuji Instax. All'epoca i brevetti di Polaroid erano scaduti e i prodotti Fuji iniziarono, piano piano, ad apparire nei negozi americani.

Nel 2001 la vecchia Polaroid fece bancarotta e tutte le risorse vennero vendute. La nuova proprietà iniziò l'inevitabile ristrutturazione. Le pellicole istantanee sparirono lentamente dal mercato in base alle stime della domanda. La produzione di fotocamere cessò nel 2006 e lo stesso accadde per i prodotti chimici. Se la domanda di pellicole fosse durata quanto stimato, ci sarebbero state abbastanza materie prime per una decina d'anni. Tuttavia le scorte furono vendute rapidamente nel momento in cui la bancarotta della ditta venne resa nota al pubblico e fu troppo tardi per tornare indietro. Fino all'uscita delle pellicole Impossible, Fuji divenne l'unico produttore a livello mondiale *di pellicole compatibili con fotocamere istantanee Polaroid.

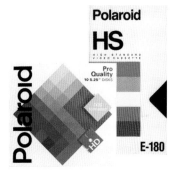

Dall'alto: fotocamera GOMZ Moment. Fotocamera Keystone Wizard. Ftocamera Fuji Fotorama F-10. VHS e floppy disc Polaroid con tecnologia Fuji.

Da Polaroid a Impossible

Come Polaroid iniziò a liquidare le proprie operazioni, si affacciò la Unsaleable, presentando un piano di marketing focalizzato sui mezzi di comunicazione su cui voleva collaborare. Unsaleable era un negozio online gestito dai fondatori di Polanoid.net, comunità e piattaforma di scambio per la fotografia istantanea. I fondatori erano a loro volta tre membri della comunità Austrian Lomographic (una società emersa dopo la scoperta, da parte di alcuni studenti, di una fotocamera Lomo LC-A nei primi anni Novanta, che persuasero il produttore a rimetterla in produzione) e uno di questi era Florian Kaps.

Nel 2005, Polaroid nominò Kaps proprio distributore e produsse diverse pellicole *special edition*: blue, sepia, chocolate e la integral Fade2Black. Anche il team della Polanoid iniziò a valutare la possibilità di produrre le proprie pellicole istantanee.

Kaps attese la chiusura della fabbrica Polaroid di Enschede, in Olanda, e incontrò il direttore dello stabilimento André Bosman, che aveva lavorato in Polaroid per trent'anni. Assieme idearono un piano e grazie a un duro lavoro riuscirono a trovare i fondi per affittare lo stabilimento. Kaps mise assieme 180.000 euro e comprò macchinari e impianti. Con un ulteriore milione di euro acquistò le pellicole Polaroid rimaste nello stabilimento e cominciò a venderle attraverso la Unsaleable per ottenere i soldi per il progetto.

La fabbrica di Enschede conteneva macchinari solo per le pellicole integral e fu qui che la compagnia concentrò gli sforzi. Comunque il team aveva molta carne al fuoco. Nel 2008 ci fu un incidente nella catena di produzione e gran parte dei materiali costitutivi di Polaroid, inclusi pigmenti speciali e polimeri, furono messi fuori produzione, anche per le restrizioni ambientali. Per ripartire con quelli ancora utilizzabili servivano ordini importanti che non potevano essere sostenuti. L'unica opzione era quella di ricominciare lo sviluppo da zero o di compiere un'operazione di *reverse engineering*.

A causa dei problemi finanziari, Unsaleable aveva solo due anni per immettere un prodotto sul mercato, quindi la ricerca iniziò seriamente. Nel frattempo si trovò un nome più appropriato: The Impossible Project, che faceva riferimento alle famose parole di Edwin Land: «Non intraprendere un progetto finché non sia esplicitamente importante e pressoché impossibile».

Le prime pellicole prodotte da Impossible erano in bianco e nero, con i nomi in codice per i test Type 40 e Type 42. Entrambe ebbero problemi: si scolorivano in circa due giorni. Furono apportati dei miglioramenti, ma i problemi persistettero, incluso un difetto ricorrente chiamato *The Killer Crystal*, che affliggeva le prime produzioni di pellicole commerciali PX di Impossible. Il problema era causato dall'umidità, che rimaneva intrappolata nei loro strati e causava la formazione di funghi, i quali davano una colorazione arancione non uniforme alle foto. Come già fatto da Land, Impossible mise in vendita delle *stop-gap solutions* che includevano *dry-age kit* contenenti bustine e sali di silicio. Inoltre, rilasciarono dei comunicati sulla natura sperimentale delle pellicole istantanee. Nel 2012 solo il 10% dei compratori ripeté l'acquisto, sia per il costo elevato sia per l'inconsistenza dei risultati.

Nel frattempo, Oskar Smołokowski, figlio del *tycoon* dell'energia Wiaczesław "Slava" Smołokowski, visitò l'Impossible New York Project Space e comprò alcune pellicole. Dopo un incontro con Kaps e dopo avere ascoltato la storia di Impossible, il giovane Smołokowski persuase il facoltoso padre a investire due milioni di euro nella compagnia, in cambio di una partecipazione del 20%, che lo rese il maggiore azionista. Smołokowski iniziò subito a lavorare in Impossible, arrivando, alla fine, alla guida del team responsabile dello sviluppo della prima fotocamera a marchio Impossible (pp. 82-87).

All'inizio del 2013 Kaps decise di ritirarsi dalla società. Creed O'Hanlon subentrò come CEO e centralizzò le operazioni, chiudendo molti Project Space di Impossible. Vi furono nuove assunzioni nei ranghi di Impossible, non solo nel settore del marketing ma anche in quello della ricerca, tra cui Stephen Herchen, uno scienziato della vecchia Polaroid che aveva passato trent'anni lavorando sulle pellicole istantanee nel quartier generale di Cambridge. Herchen è ora il direttore esecutivo e il responsabile delle tecnologie di Impossible. La sua influenza ha modificato significativamente i prodotti di Impossible, rendendo i colori più luminosi, più stabile la chimica e riducendo i tempi di sviluppo.

Dal dicembre 2014 è cominciata una nuova era, con la nomina a CEO del venticinquenne Smołokowski. Kaps continuò con il proprio amore per le cose analogiche e ora dirige Supersense, una società di Vienna che vende e sviluppa prodotti analogici, compresi quelli di Impossible. Kaps ha realizzato delle edizioni a breve termine, e solo per Supersense, di speciali fotocamere compatibili con le pellicole Impossible e che utilizzano CPU Impossible, come la Supersense Pinhole. Inoltre, Kaps ha messo in vendita anche un accessorio specifico che trasforma la stampante istantanea InstantLab in una fotocamera (LAB2CAM) e ha realizzato una nuova fotocamera 20"x24" che utilizza le pellicole integral e può essere presa a nolo a Vienna.

Nel 2016 Kaps ha scritto *The Magic Material*, un libro sulla fotografia istantanea.

Nella pagina a fianco, dall'alto: dipendente Impossible con in mano delle cornici personalizzate nella fabbrica di Enschede. Test del colore di Impossible. **Sopra:** Immagini di prova scattate dall'autrice con le prime pellicole Impossible.

Il marchio Polaroid

All'inizio degli anni Cinquanta, quando Polaroid stava rapidamente diventando famosa, una cosa parve si fosse scordata: l'immagine societaria. Fino a quel punto era stata l'immagine dello stesso Land; la sua faccia appariva sulle copertine delle riviste e il suo nome era sulle fotocamere e sulla promozione.

Nel 1954, quando la pubblicità stava vivendo grandi trasformazioni, il team commerciale di Polaroid, diretto da Stan Calderwood (successivamente vicepresidente di Polaroid), decise di rompere con il passato e conferì all'innovativa agenzia DDB il compito di curare la propaganda. Polaroid aveva bisogno di iniziare a pensare come una società che doveva vendere i propri articoli, non solo le idee. L'approccio della DDB fu di piazzare il prodotto al centro, puntando sull'estetica e sull'innovazione, con un testo accattivante in evidenza.

Fu sempre in questo periodo che un giovane grafico, Paul Giambarba, entrò in Polaroid. Grazie alla sua permanenza nell'azienda, Giambarba sarebbe diventato un influente designer. Nel periodo 1957-1977 fu il direttore artistico interno di Polaroid, sostanzialmente responsabile per ogni comunicazione grafica che usciva da essa. E non fu cosa da nulla.

Giambarba divenne indispensabile per la rivoluzione dell'aspetto pubblico di Polaroid. La sua prima decisione fu a livello tipografico: scelse il carattere News Gothic Sans Serif per scrivere in lettere maiuscole Polaroid, così che non venisse più confuso con Poloroid a causa della somiglianza tra la "a" e la "o" minuscole.

I prodotti Polaroid, inoltre, venivano spesso oscurati sugli scaffali dall'accattivante confezione gialla di quelli Kodak. Giambarba studiò un look più moderno, un pannello nero con scritte bianche ed elementi vistosamente colorati che si differenziavano da prodotto a prodotto. Fu una partenza esuberante e per la prima volta la presenza di Polaroid nei negozi non fu definita solo dall'efficacia della tecnologia, ma anche dall'eleganza del design.

Il successo dell'operazione fu notevole e nel 1957 le vendite di Polaroid passarono da 34 a 48 milioni di dollari. L'arcobaleno Polaroid, un'altra trovata di Giambarba abbondantemente copiata (i loghi originali di Apple e Instagram) non prese piede fino al 1968, ma divenne subito il segno distintivo della compagnia. In quel periodo furono ritoccate anche le confezioni per il bianco e nero, con l'inserimento di sette tonalità di grigio e nero.

Nel tempo l'arcobaleno Polaroid perse importanza e divenne meno evidente, ma ancora oggi quei sei colori sono una parte chiave dell'attuale logo della Polaroid.

In alto: Giambarba al lavoro nel suo studio in Everett Street, 1960.
A destra: le prime pellicole a colori Polaroid 108 Colorpack. **Più a destra:** le colorate confezioni a incastro delle pellicole Squareshooter, 1971. **In basso:** fotocamera Highlander e film pack Model 210.

Le pellicole Polaroid Instant Film e quelle Impossible Instant Film sono le cose più chimicamente complesse che l'uomo abbia mai realizzato... quando una foto si sta sviluppando e tu provi la semplice gioia di osservarla, sono letteralmente in corso centinaia di reazioni chimiche.

La fotografia analogica istantanea racchiude in sé un'intera scienza e un'intera forma d'arte.

Stephen Herchen, Impossible Project, ex CEO di Polaroid

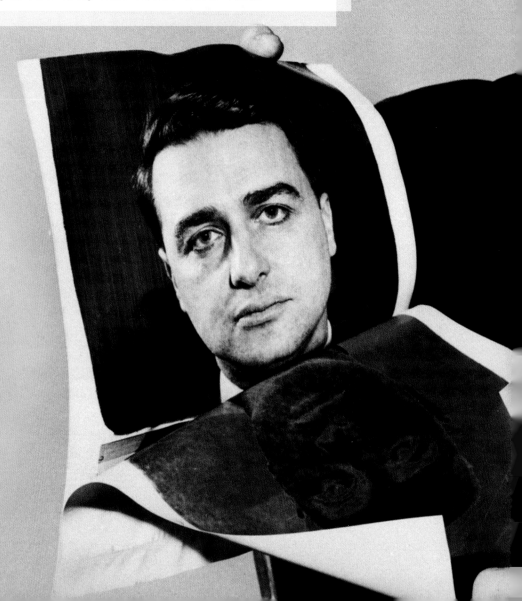

Parte 1
Guida alle fotocamere e alle pellicole

Glossario delle pellicole
Pellicole peel-apart

Le pellicole istantanee peel-apart richiedono la separazione del negativo dal positivo dopo un determinato tempo di sviluppo per visualizzare l'immagine catturata. La gamma delle pellicole peel-apart consiste in rullini, cartucce e fogli. L'unica in produzione attualmente è quella 5"x4" in fogli, una pellicola negativo-positivo bianco e nero prodotta dalla ditta New 55.

Pellicole istantanee in rullino

Le prime pellicole Polaroid disponibili erano su rullino *roll film* ed erano disponibili nella versione seppia e in bianco e nero. I negativi e i positivi erano avvolti su due bobine separate, contenute all'interno della fotocamera. Una volta rimosso dalla macchina, questo "sandwich" di strati veniva pressato attraverso due rulli durante la fase di sviluppo assieme alla sacca con i prodotti chimici, che venivano così spalmati su tutta la superficie degli strati della pellicola. Questo processo si basava su due delle più grandi invenzioni di Polaroid: la sacca dei reagenti e il sistema di rulli, che sono state alla base di ogni prodotto fotografico della Polaroid.

Pellicole a foglio

Le pellicole a foglio *sheet film* erano disponibili in due grandi formati ed erano rivolte a fotografi professionisti con equipaggiamento di alto livello.

Il formato più piccolo misura 5"x4" e ogni foglio contiene uno strato positivo e uno negativo, oltre

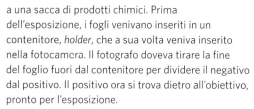

Il processo sottrattivo è usato in quasi tutte le pellicole a colori Polaroid. I colori secondari sono combinati per formare i colori primari: rosso, verde e blu. Quando la miscela è equivalente, si ottiene il nero.

a una sacca di prodotti chimici. Prima dell'esposizione, i fogli venivano inseriti in un contenitore, *holder*, che a sua volta veniva inserito nella fotocamera. Il fotografo doveva tirare la fine del foglio fuori dal contenitore per dividere il negativo dal positivo. Il positivo ora si trova dietro all'obiettivo, pronto per l'esposizione.

Dopo lo scatto il positivo va spinto manualmente dentro il contenitore. A questo punto bisogna premere un pulsante per fissare bene le bobine, ed estrarre l'intera pellicola dal contenitore con un movimento rapido, che rompe la sacca dei prodotti chimici.

Il secondo formato professionale della pellicola è l'8"x10". Funziona più o meno nello stesso modo del 5"x4", sebbene il negativo si trovi in una tasca inserita dentro al contenitore della pellicola. Questo viene accoppiato con il positivo e con la sacca dei prodotti chimici in un processore secondario esterno.

Le pellicole originali Polaroid 8"x10" usavano la carta per il positivo e venivano separate, ma Impossible ha prodotto una versione istantanea che utilizza un foglio di plastica come positivo ed entrambi gli strati rimangono uniti uno all'altro.

Pellicole in cartucce (Film pack)

Nel 1963 Polaroid lanciò la prima pellicola in cartuccia: la Type 100. Le cartucce uscirono poi in diverse tipologie: oltre all'originale serie Type 100, a volte conosciuta come Type 660, ci furono le Type 80 e le Type 550.

Le cartucce contenevano dieci fotografie (le prime versioni solo otto). Una volta caricata, la pellicola aveva una *dark slide* che si avvolgeva attorno a una disposizione a fisarmonica di negativi e positivi. Questi avevano una sequenza di linguette ed erano tenuti uniti con carta incerata. Quando la cartuccia è inserita nella fotocamera e la dark slide viene rimossa, il primo negativo si trova di fronte all'obiettivo, pronto per essere esposto.

Tutti i negativi si trovano uno sopra l'altro, separati dai positivi da una molla di metallo piatta. I negativi e i positivi hanno un fondo opaco per prevenire le infiltrazioni di luce. I due strati vengono portati assieme e la sacca (*pod*) viene strappata dopo che una serie di linguette sono state tirate in sequenza.

Lo sviluppo inizia quando i reagenti chimici viscosi vengono spalmati uniformemente sugli strati della pellicola. La viscosità dei prodotti chimici serviva anche a proteggere l'emulsione dalla luce, creando

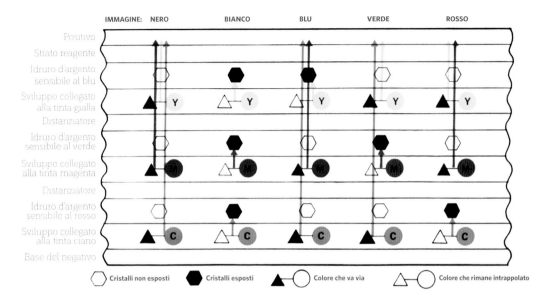

una sorta di camera oscura momentanea in cui la pellicola poteva essere sviluppata in sicurezza.

Quando la prima piccola linguetta bianca è estratta dalla fotocamera, all'interno il negativo si sposta dal fronte della cartuccia al retro. Quando la seconda linguetta viene tirata, le due parti della foto vengono allineate perfettamente e la parte anteriore passa attraverso due rulli che rompono la sacca dei reagenti stendendoli all'uscita della pellicola dalla fotocamera.

Pellicole a colori: il processo di sintesi sottrattiva

Ogni pellicola Polaroid a colori utilizza il metodo di sintesi sottrattiva. I colori derivano da tinture che si diffondono fra gli strati della pellicola.

I negativi istantanei erano formati da nove strati: un negativo base con dorso opaco, tre strati sensibili alla luce di idruro d'argento appaiati a tre complementari di tinture e due strati distanziatori.

I positivi erano formati da quattro strati: uno di carta rivestita di resina; uno strato acido per neutralizzare gli alcali nello sviluppo, un distanziatore e uno strato mordente (fissativo delle tinte) che forma l'immagine positiva. La molecola "magica" di Howard Roger (il triangolo nel diagramma qui sopra), lega le tinture agli sviluppi tramite un "guinzaglio atomico". Ogni strato di idruro d'argento è appaiato a un singolo colore di tintura che può

bloccare o sottrarre. Nella stampa finale l'aspetto di ogni tintura è accuratamente controllato da questo sistema di strati e il livello di esposizione dell'idruro d'argento determina la quantità di tintura trasferita.

Quando la foto è scattata, gli strati di idruro d'argento vengono esposti alla luce, che li attraversa. Quando la luce incontra lo strato di idruro d'argento a essa sensibile, viene innescata una reazione: l'idruro d'argento risulta più o meno esposto a seconda dell'intensità della luce riflessa. Gli alcali si spandono in pochi secondi sugli strati del negativo. Quando raggiungono uno sviluppatore *magic* e la molecola di tintura, mettono la molecola in azione permettendole di diffondersi attraverso tutti gli strati della pellicola.

I reagenti alcalini continuano a muoversi verso l'alto fino a raggiungere lo strato acido, che li neutralizza concludendo il processo e fissando l'immagine. Un sistema di autolavaggio è stato sviluppato in modo da eliminare gli alcali rimasti nello strato dell'immagine con la produzione di sale e acqua attraverso gli strati distanziatori e quelli degli acidi del positivo. Ciò elimina la necessità di un successivo trattamento di rivestimento: un trionfo per Land.

Cimeli Polaroid

La pellicola in rullino

Il 21 febbraio 1947 Edwin Land mostrò il primo sistema fotografico istantaneo a un pubblico ammaliato, durante un meeting della Optical Society of America. Land e il suo team avevamo modificato una fotocamera *view* 8"x10" in modo che potesse accettare una pellicola Polaroid in rullino sovradimensionata e supersegreta, ancora in fase di sviluppo. Per quella dimostrazione Land scattò un autoritratto. Fu uno spettacolo incredibile: Land che teneva in mano una riproduzione di se stesso a dimensioni reali, scattata solo qualche minuto prima, sviluppata e stampata sul posto senza bisogno di alcuna bacinella di acido o fissatore.

Nel novembre 1948 furono inviate a Jordan Marsh (oggi Macy's), un grande magazzino di Boston, cinquantasei fotocamere a rullino Model 95 Land e le loro pellicole seppia compatibili, Type 40. Le fotocamere utilizzavano pellicole istantanee in rullino (pp. 22-23), pesavano circa due chilogrammi e costavano 89,75 dollari, ma questo non spaventò gli acquirenti. Tutti gli apparecchi (perfino quello usato per l'esposizione) e i rullini andarono a ruba il primo giorno di vendita.

Nel 1950 le pellicole Type 41, uno stock poco stabile in bianco e nero, rimpiazzò i primi rullini seppia. La pellicola era inaffidabile e si scoloriva troppo in fretta. Come soluzione, Polaroid iniziò a vendere queste pellicole assieme a un coprente in grado di fissare efficacemente la foto dopo lo sviluppo. Il coprente era leggermente gelatinoso e lasciava le foto bagnate, quindi per asciugarle e prevenire il deposito di polvere sulla superficie la gente doveva agitarle all'aria, una procedura che da allora è sempre stata associata alle Polaroid, a scapito dei milioni di moderne foto istantanee integral (pp. 42-43), che vengono danneggiate da una simile procedura.

Dall'alto: l'autoritratto di Land al lancio delle fotocamere Polaroid al Jordan Marsh store, novembre 1948. La 95a, una variante della 95, uscita nel 1954.

Ben diciotto diversi tipi di pellicola in rullino furono venduti nel periodo dal 1948 al 1992: le Type 40, Type 30 e Type 20. Furono prodotti ventuno modelli di fotocamere, delle quali la Swinger, messa sul mercato nel 1965 e dedicata a un pubblico giovanile, fu la più richiesta. Fu un tale successo, che Polaroid decise di sfruttare quel nome per gli anni a venire. Le pellicole in rullino sono fuori produzione da oltre venticinque anni

Se si vuole utilizzare una vecchia fotocamera a rullino, le pellicole Polaroid non sono attualmente l'unica opzione. Senza grossi problemi queste fotocamere possono essere modificate in modo da accettare diverse altre pellicole, tra le quali le Fuji Instax (pp. 78-81), le pellicole peel-apart (pp. 22-23), le pellicole di Impossible Project (pp. 82-90), le pellicole in foglio (pp. 22-23), le 120 e altre. Un buon posto dove iniziare la ricerca è il sito di Option8, Instant Options (lista di rivenditori, pp. 234-235).

I modelli 110a e 110b, che erano generalmente dotati di ottimi obiettivi, dei quali i migliori erano quelli realizzati da Rodenstock, sono considerate in assoluto le fotocamere in formato roll film più adatte alla conversione. La 110b ha un piccolo vantaggio grazie al mirino singolo (con cui si può mettere a fuoco e comporre) sulla 110a che ne ha due: uno per la messa a fuoco e uno per la composizione. La 95a, un aggiornamento dell'originale 95, offre un buon rapporto qualità/prezzo e molte opzioni di conversione.

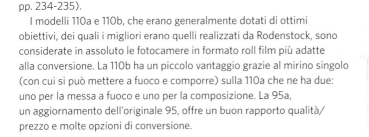

Dall'alto: manuale della Swinger. La fotocamera Swinger 20 e le pellicole Type 20. Conversione di Option8 da rullino a cartuccia.
A sinistra: pellicole Polaroid in rullino.

Dall'alto: prototipo di una fotocamera film pack. Prima e seconda generazione delle pellicole a colori in film pack di Polaroid. Due prototipi di soffietti per fotocamere film pack.

Fotocamere Peel-apart

Nel 1963, dopo circa venticinque anni di ricerca, Polaroid lanciò sul mercato le pellicole a colori Polacolor. Il loro percorso fu complicato, in quanto furono provate più di cinquemila combinazioni di tinture diverse prima di arrivare alla formula.

Le Polacolor condussero al lancio di una nuova cartuccia *colorpack* e delle fotocamere sia a rullino a colori sia a pellicole in foglio (pp. 22-23). Il nuovo sistema 100, come furono conosciute le fotocamere pieghevoli per pellicole in cartucce e le pellicole stesse, fu il primo in cui un'immagine istantanea di livello non professionale poteva essere sviluppata fuori dalla fotocamera. Questo significò che un fotografo avrebbe potuto scattare più foto in rapida successione senza perdere più il "momento magico". La prima fotocamera film pack, l'Automatic 100, era più leggera delle precedenti Polaroid a rullino, aveva un soffietto che ne riduceva le dimensioni quando non in uso, l'esposimetro *electric eye* per l'esposizione automatica, la modalità a priorità di diaframma e richiedeva una batteria. Le fotocamere di tipo peel-apart che seguirono, di cui ci furono più di trenta versioni, adottarono tutte un design simile e vennero definite fotocamere *old-style*. Tutti i modelli di questa gamma accettavano le pellicole 100 e venivano inquadrate come fotocamera serie 100, senza menzione del numero dello specifico modello. Per esempio la 250, un modello old-style di livello superiore, era sempre parte della serie 100.

Divennero disponibili diversi formati di pellicole peel-apart, come le Type 80 e le 550, sia a colori sia in bianco e nero. La sensibilità delle pellicole variava notevolmente, rendendo il sistema peel-apart Polaroid assai adattabile, finché fu prodotto. L'unica pellicola ancora compatibile con queste fotocamere, la Fuji FP-100C, è andata fuori produzione nel 2016, ma è ancora reperibile online.

Fotocamere con corpo rigido

Le fotocamere peel-apart a corpo rigido o *box type* avevano un obiettivo fisso, l'autoesposizione e un costo relativamente contenuto. Sebbene si assomigliassero, solo poche di loro accettavano la pellicola Type 80, che avevano la stessa emulsione delle 100, ma erano meno costose a causa della loro recente messa fuori produzione (l'ultimo lotto prodotto scadeva nel 2006).

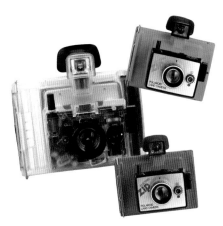

Le fotocamere Type 80 avevano generalmente obiettivi di scarsa qualità in plastica e davano immagini distorte sui bordi. È possibile convertire le fotocamere Type 80 per le pellicole della serie 100, incluse le Fuji FP-100C, ma non si avranno immagini a fotogramma pieno. Le macchine Type 100 avevano un vano di carico più largo delle Type 80, ma accettavano solo pellicole Polaroid di due sensibilità, 75 e 3000 ASA, raramente entrambe.

Dall'alto: adesivo di boicottaggio della fotocamera ID-2, che con il pulsante *boost* rendeva più chiara la pelle per le fotografie dei passaporti della repubblica del Sudafrica. Automatic 100. Fotocamere Electric Zip, che accettavano solo pellicole Type80

Uno dei modelli più famosi tra le fotocamere a corpo rigido fu la Big Shot. Andy Warhol fu molto affezionato a questo modello e molti dei suoi ritratti di celebrità furono realizzati partendo da foto fatte con la Big Shot.

Sebbene fosse leggero, questo modello era molto lungo. Aveva un obiettivo a focale fissa (220mm) ed era stato progettato per i ritratti, con apertura fissa a f.29. La fotocamera aveva un largo diffusore del flash per smorzare le ombre e utilizzava i grandi flash MagiCube. Ha delle barre, anziché dei rulli, per spandere i prodotti chimici, ma può essere modificata per accettare i rulli. Sebbene il tempo di esposizione della Big Shot sia calibrato per pellicole a 75 ASA, sono utilizzabili anche le pellicole da 100 ISO come le Fuji FP-100C. Uno dei vantaggi di questa fotocamera è che non richiede batterie.

Fotocamere a soffietto

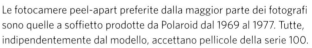

Le fotocamere peel-apart preferite dalla maggior parte dei fotografi sono quelle a soffietto prodotte da Polaroid dal 1969 al 1977. Tutte, indipendentemente dal modello, accettano pellicole della serie 100.

Le numerose varianti hanno aspetti simili. I modelli più costosi hanno obiettivi di vetro, corpi in metallo e mirini Zeiss. Hanno anche mirini pieghevoli che rientrano nel corpo macchina, a differenza dei modelli economici in cui il mirino rimane fuori, anche quando ripiegato.

Alla fine degli anni Settanta, Polaroid presentò le fotocamere peel-apart a soffietto *new style*, che includevano la Reporter e la EE100. Negli anni Novanta, invece, fu lanciata la ProPack. Tutte funzionavano con pile AA. La ProPack aveva il vantaggio di possedere i contatti sincronizzati per il flash accessorio ProPack, ma, come tutte le macchine di questo gruppo, montava un obiettivo in plastica ed era più ingombrante dei vecchi modelli.

Nel periodo fra il 1965 e il 1976 furono realizzati anche tre modelli professionali manuali: la 180, la 190 e la 195. Si tratta della *crème de la crème* delle fotocamere Polaroid peel-apart a soffietto ed erano rivolte ai fotografi più esperti, abituati a utilizzare le impostazioni manuali. Tutte avevano un obiettivo da 114mm, la sincronizzazione per il flash e la modalità autoscatto. La 180 aveva anche una ghiera per l'esposizione e con il singolo mirino Zeiss risultava di livello superiore rispetto alla 190 e alla 195. Queste ultime avevano un'apertura massima di f.3,8, mentre la 180 arrivava a f.4,5. Le 195 e le 190 erano dotate di un timer per lo sviluppo, nel pannello posteriore, ma, come per le altre fotocamere di livello intermedio, l'utilità era scarsa, soprattutto con pellicole Fuji, il cui tempo di sviluppo è predeterminato, o con le Polaroid fuori produzione, nelle quali i tempi variano in base all'età.

Dall'alto: la Big Shot. La ProPack. La 180. La 190.

Accessori

I kit Close-up e Portrait per fotocamere professionali a soffietto sono rari e costosi. Quelli illustrati in questa pagina sono sistemi alternativi che possono essere utilizzati al posto degli originali. Per una lista completa degli accessori per fotocamere film pack e per la compatibilità, si veda la tabella alle pp. 30-31.

1.

2.

3.

4.

5.

1. I mirini Zeiss permettono sia la messa a fuoco sia la composizione attraverso una finestra. Possiamo modificare una fotocamera e usarli solo se è presente in essa un mirino pieghevole.

2. Se preferiamo una singola finestra e scattare ad ampie aperture, usiamo una 195 e sostituiamone il mirino con quello di una 250, 350, 360 o 450 fuori uso. Se abbiamo una 195 e un kit compatibile Close-Up/Portrait (**5**) o un kit Portrait (**4**), questa modifica li renderebbe quasi ridondanti. Se abbiamo un kit per *close-up* e ritratto compatibile con la 195, possiamo sostituire il mirino *goggle* preso da un kit di lenti più comune e meno caro. Le lenti aggiuntive non sono intercambiabili tra modelli professionali e le loro controparti automatiche, ma i goggle sono

compatibili con il gruppo di mirini e l'ingrandimento è lo stesso. I kit per il close-up consentono di mettere a fuoco a una distanza di 9 pollici (22,8 cm), mentre i kit per ritratto a 19 pollici (48,3 cm). I goggle contenuti in kit fatti per i modelli con mirini automatici Zeiss (250, 350, 360, e 450) sono distinti dai mirini non Zeiss da una "a" nel nome (i kit per close-up 583a/473, e per ritratto 581a /471 furono fatti solo per i mirini Zeiss). Possiamo realizzare il nostro kit con lenti ibride da ogni modello di fotocamera professionale usando l'appropriato goggle di ogni kit Close-Up o Portrait progettato per fotocamere a soffietto automatico (controlliamo la tabella alle pp. 30-31 per trovare la corrispondenza per la nostra fotocamera).

3. Adattatore 45-46mm. I modelli professionali condividono lo stesso

filetto da 45mm, per il quale ci sono poche lenti compatibili realizzate da altri produttori. Per aggirare questo ostacolo possiamo usare un economico adattatore "maschio a femmina" da 45mm, in modo da trasformarlo in un filetto standard da 46mm. In questo modo possiamo utilizzare qualsiasi filtro o lente per close-up.

4. Goggle 1 dal kit 473 per close-up.

5. Kit per close-up del 1951 progettato per una 195.

Guida agli accessori e alla compatibilità

Fotocamera	Obiettivo vetro	Corpo in metallo	Vite treppiedi	Selettore scene	Timer stampa	Tipo di mirino	Batteria*
100	x	x	x	x		2 finestre pieghevole	531 (4.5V)
101	x	x	x			2 finestre pieghevole	531 (4.5V)
102	x	x	x			2 finestre pieghevole	531 (4.5V)
103	x					2 finestre pieghevole	532 (3V)
104						1 finestra rigido	532 (3V)
125						1 finestra rigido	532 (3V)
135	x					2 finestre pieghevole	532 (3V)
210						1 finestra rigido	532 (3V)
215							532 (3V)
220				x		2 finestre rigido	532 (3V)
225						2 finestre rigido	531 (4.5V)
230	x			x		2 finestre rigido	531 (4.5V)
240	x	x	x	x		2 finestre pieghevole	531 (4.5V)
250	x	x	x	x		Zeiss	531 (4.5V)
315						1 finestra rigido	532 (3V)
320						2 finestre rigido	532 (3V)
330	x				x	2 finestre rigido	532 (3V)
335	x				x	2 finestre rigido	532 (x 2, 3V ognuna)
340	x			x	x	2 finestre pieghevole	531 (4.5V)
350	x	x	x	x	x	Zeiss	532 (x 2)
355	x	x	x	x	x	2 finestre pieghevole	532 (x 2, 3V ognuna)
360	x	x	x	x	x	Zeiss	532 (x 2, 3V ognuna)
420						2 finestre rigido	532 (3V)
430					x	2 finestre rigido	532 (3V)
440	x			x	x	2 finestre pieghevole	532 (3V)
450	x	x	x	x	x	Zeiss	532 (x 2, 3V ognuna)
455	x	x	x	x	x	2 finestre pieghevole	532
Countdown M60					x	1 finestra rigido	532 (3V)
Countdown M80	x				x	2 finestre rigido	532 (x 2, 3V ognuna)
Countdown 70					x	2 finestre rigido	532 (3V)
Countdown 90	x				x	2 finestre pieghevole	532 (x 2, 3V ognuna)
The reporter			x			1 finestra rigido	AA
EE100/EE100 Special			x		x	1 finestra rigido	AA
Pro Pack			x			1 finestra rigido	AA
180	x	x	x	Solo manuale		Zeiss	N/A
190	x	x	x	Solo manuale	x	Zeiss	N/A
195	x	x	x	Solo manuale	x	2 finestre pieghevole	N/A

*Quando è indicato che servono 2 pile, una è per il timer di stampa, e non è necessaria per il funzionamento della fotocamera.

Modifiche batterie	Flash	Close-up	Portrait Kit	Scatto a distanza	Filtri	Autoscatto	Filtro Cloud
3 x AAA	268	583/543	583/543	191	191	192	516
3 x AAA	268	583/543	583/543	191	191	192	516
3 x AAA	268	583/543	583/543	191	191	192	516
2 x AAA o litio 3V	268	583/543	583/543	191	191	192	516
2 x AAA o litio 3V	268	N/A	N/A	191	191	192	
2 x AAA o litio 3V	268	N/A	N/A	191	191	192	
2 x AAA o litio 3V	268	583/543	583/543	191	191	192	516
2 x AAA o litio 3V	268	N/A	N/A	191	191	192	
2 x AAA o litio 3V	268	N/A	N/A	191	191	192	
3 x AAA	268	N/A	N/A	191	191	192	
3 x AAA	268	N/A	N/A	191	191	192	
3 x AAA	268	583/543	583/543	191	191	192	516
3 x AAA	268	583/543	583/543	191	191	192	516
3 x AAA	268	573/563/583A	573/563/583A	191	191	192	516
2 x AAA o litio 3V	268	N/A	N/A	191	191	192	
2 x AAA o litio 3V	268	N/A	N/A	191	191	192	
2 x AAA o litio 3V	268	N/A	N/A	191	191	192	516
2 x litio	268	N/A	N/A	191	191	192	516
3 x AAA	268	583/543	583/543	191	191	192	516
2 x litio	268	573/563/583A	573/563/583A	191	191	192	516
2 x AAA o litio 3V	268	583/543	583/543	191	191	192	516
2 x litio	365	583a/473	583a/473	191	191	192	516
2 x AAA o litio 3V	490	N/A	N/A	191	191	192	
2 x AAA o litio 3V	490	N/A	N/A	191	191	192	516
2 x AAA o litio 3V	490	583/543	583/543	191	191	192	516
2 x litio	490	573/563/583A	573/563/583A	191	191	192	516
2 x AAA o litio 3V	490	583/543	583/543	191	191	192	516
2 x AAA o litio 3V		N/A	N/A	191	191	192	
2 x litio		N/A	N/A	191	191	192	516
2 x AAA o litio 3V	490	N/A	N/A	191	191	192	
2 x litio	490	583/543	583/543	191	191	192	516
N/A	4025	N/A	N/A	Standard	Standard fit		
N/A	4025	N/A	N/A	Standard	Standard fit		
N/A	ProFlash	N/A	N/A	Standard	Standard fit		
Nessuna batteria	280	593	593	191	191	Incorporato	inc. in 595
Nessuna batteria	280	593	593	191	191	Incorporato	inc. in 595
Nessuna batteria	280	1953	1953	191	191	Incorporato	inc. in 595

Se sostituiamo il mirino della fotocamera con un mirino Zeiss, serve una copertura per kit Close-Up o ritratto.

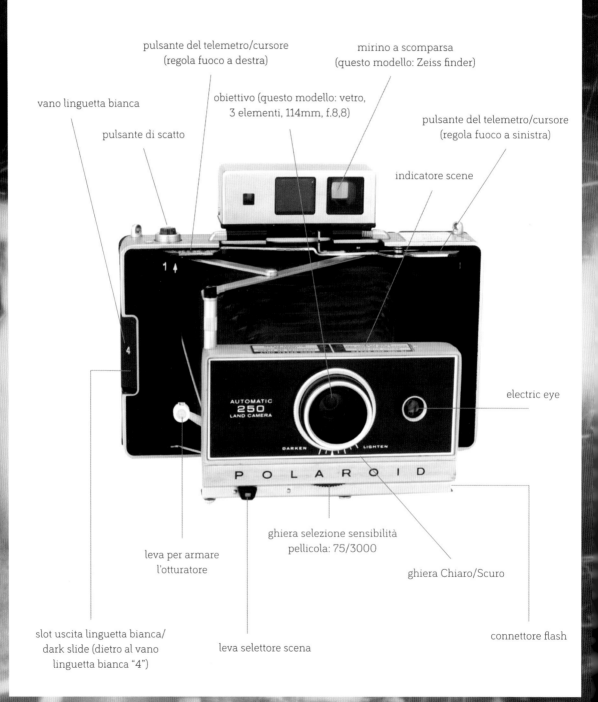

pulsante del telemetro/cursore
(regola fuoco a destra)

mirino a scomparsa
(questo modello: Zeiss finder)

vano linguetta bianca

obiettivo (questo modello: vetro,
3 elementi, 114mm, f.8,8)

pulsante di scatto

pulsante del telemetro/cursore
(regola fuoco a sinistra)

indicatore scene

electric eye

leva per armare
l'otturatore

ghiera selezione sensibilità
pellicola: 75/3000

ghiera Chiaro/Scuro

slot uscita linguetta bianca/
dark slide (dietro al vano
linguetta bianca "4")

leva selettore scena

connettore flash

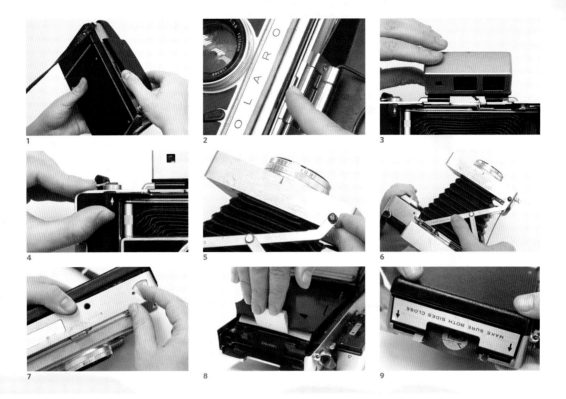

Guida per l'utente

Fotocamere Peel-apart a soffietto

Aprire e chiudere

La maggior parte delle fotocamere a soffietto utilizza lo stesso metodo di apertura e chiusura e le pellicole vengono caricate ed emesse allo stesso modo. Nelle versioni con mirino fisso, il coperchio protettivo di plastica si fissa sotto il mirino e, premendo verso il basso e tirando in fuori, il coperchio si sblocca.

Nei modelli con mirino pieghevole il coperchio esterno è tenuto in sede da una calamita. Per aprirlo si deve alzare il bordo posteriore dell'involucro esterno, finché non si apre spostandosi **(1)**. Si può rimuovere completamente l'involucro spingendo il fermo verso l'interno **(2)**. È meglio ripiegare il mirino verso l'alto **(3)**.

Estendere il soffietto. Cerchiamo sul fronte della macchina un pulsante di plastica con una freccia verso l'alto **(4)**. Spingiamolo in su delicatamente con una mano mentre con l'altra estendiamo il soffietto. Tiriamo in avanti il pannello frontale con l'obiettivo, facendo trazione sulla barra di metallo nella parte superiore destra del pannello **(5)** finché non si blocca in posizione. Per ripiegare il soffietto e chiudere la fotocamera, prima dobbiamo premere verso il basso la barra **(6)**. Quindi, spingiamo in dentro il pannello con l'obiettivo fino a quando si blocca. Abbassiamo di nuovo il mirino e tiriamo in su il coperchio, finché la calamita non lo blocca. Nei modelli con mirino rigido spingiamo in sede il coperchio finché non si blocca sotto il mirino.

Caricare la pellicola

Spingiamo la leva sul fondo della fotocamera **(7)** per aprire lo sportello del vano portapellicola. Inseriamo la cartuccia con la dark slide rivolta verso il soffietto, finché non si blocca. La linguetta di carta bianca deve apparire sulla destra, sporgente dalla macchina, e deve essere accuratamente ripiegata a fisarmonica **(8)** e non accartocciata.

Chiudiamo e cerchiamo la linguetta nera, che esce dallo slot della fotocamera **(9)**. Se non la vediamo, apriamo la fotocamera e guidiamola in posizione.

Con un singolo movimento tiriamo fuori la linguetta nera senza romperla. Dopo di che apparirà una linguetta bianca. Per ora non estraiamola.

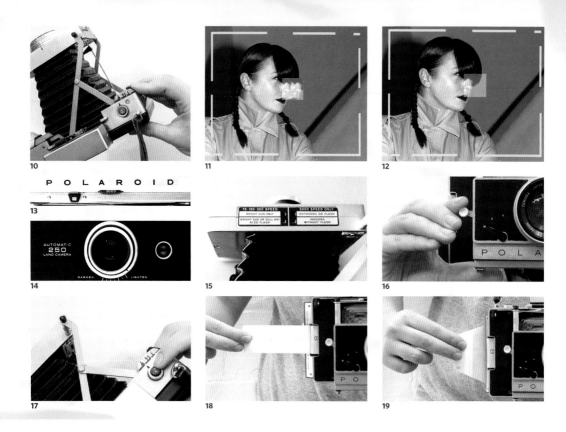

Inquadrare e mettere a fuoco

Queste indicazioni sono basate sui mirini Zeiss, ma valgono per tutti i modelli di fotocamere peel-apart a soffietto. Mettendo gli indici di entrambe le mani sui pulsanti #1, ai lati dell'apparecchio, facciamo scorrere il soffietto avanti e indietro (con mirini diversi dagli Zeiss dobbiamo inquadrare in una finestra e mettere a fuoco nell'altra) **(10)**. Dentro al mirino vediamo un riquadro giallo che demarca l'area di ritaglio. Regoliamo il fuoco fino a quando l'immagine divisa **(11)** diventa unica **(12)**. La distanza minima di messa a fuoco è di circa 91 cm. Per mettere a fuoco più vicino è necessario usare un kit per close-up o per ritratto (p. 29).

Impostazione dell'esposizione

Assicuriamoci che la ghiera della sensibilità sia posizionata correttamente. Usiamo la rotella Chiaro/Scuro per compensare l'esposizione **(14)** e il selettore della scena **(15)**. Con le fotocamere professionali mettiamo sia il diaframma sia la velocità di scatto su manuale (M) e regoliamoli usando le ghiere o i valori EV.

Scattare

I modelli "Old-style" e professionali richiedono di armare l'otturatore prima di poter scattare. Per farlo abbassiamo la leva bianca posta a destra dell'obiettivo **(16)** fino a quando si blocca. Per scattare premiamo il pulsante rosso **(17)**.

Sviluppare la foto

Estraiamo la sola linguetta bianca **(18)** con un singolo movimento fluido. La pellicola si srotola dentro la fotocamera e una linguetta bianca e nera esce dallo slot **(19)**. Tiriamola fino a quando la foto non esce completamente dalla macchina.

Mentre la foto si sviluppa, teniamola solo per i bordi. Se i reagenti chimici vengono a contatto con la pelle, rimuoviamoli immediatamente con un panno bagnato.

Usiamo i tempi di sviluppo indicati sulla confezione della pellicola solo come indicazione, perché questi variano molto con le pellicole scadute, che diventano troppo blu se separate tardi, mentre le pellicole Fuji sono autoterminanti. Se anticipiamo il distacco la foto rimarrà chiara, mentre se lo ritardiamo diventerà blu scuro.

a

b

c

d

Trucchi

Possiamo separare le due parti di una Polaroid in due modi. Nel primo, troviamo il bordo della foto **(a)** e stacchiamola dal negativo. Avremo una cornice bianca attorno all'immagine **(b)**.

Nel secondo modo, conosciuto come *backwards peel* **(c)**, separiamo i due strati di carta cerata alla fine della linguetta, strappandoli da dove si uniscono. Otterremo un bordo delle foto saturato chimicamente **(d)** e accentueremo il "look Polaroid".

Dentro la cartuccia, la pellicola è ripiegata e incollata e se la tiriamo fuori nell'ordine sbagliato o ci mettiamo troppa forza potremmo disallinearla, rovinando così le foto.

Tiriamo sempre fuori cautamente la foto dalla macchina, così che si bagni dove necessario. Se la foto esce con delle macchie bianche vuol dire che è stata tirata troppo velocemente, mentre se presenta delle striature è stata estratta troppo lentamente.

Manutenzione delle fotocamere

Controllare regolarmente la fotocamera garantisce foto di buona qualità. Prima di acquistare una fotocamera usata seguiamo i consigli che seguono.

Per prima cosa esaminiamo le condizioni dell'obiettivo per vedere se ci sono muffe o graffi. Se necessario puliamo la lente anteriore con un panno per occhiali, facendo attenzione a non graffiarla.

La fotocamera si chiude bene? Se ha subito un urto, la chiusura posteriore può essersi deformata e lasciare entrare luce. Nel caso, si può rimediare con del nastro da elettricista.

Controlliamo e puliamo i rulli regolarmente. Rulli arruggiti, sporchi o graffiati sono un disastro per le foto. Nel caso lo fossero, possono essere sostituiti, dato che tutte le fotocamere film pack a soffietto usano gli stessi rulli.

Controlliamo spesso il soffietto. Con il tempo gli strati del soffietto possono staccarsi e quelli interni finire per penzolare sul cammino della luce, generando ombre o rovinando i margini della foto. Controlliamo dall'interno che il soffietto si ripieghi bene; se ci sono pieghe anomale significa che gli strati si sono separati.

I soffietti possono anche bucarsi. Illuminiamo l'interno del soffietto con una torcia, stando in una stanza buia. Se ci sono dei buchi vedremo la luce uscirne. Per chiudere i piccoli fori usiamo colla nera da elettricista. Se i fori sono grandi, cambiamo il soffietto. Svitiamo il cavo dell'otturatore e rimuoviamo le viti o i rivetti che tengono il soffietto contro il pannello dell'obiettivo. All'altra estremità apriamo le linguette metalliche usando una pinza a becchi curvi, in modo da liberare il soffietto. Montiamo il nuovo soffietto procedendo nel modo contrario. Rendiamo impermeabile alla luce il soffietto usando colla liquida da elettricista attorno alle linguette metalliche.

20

21

22

23

24

25

Risoluzione dei problemi

Sovraesposizione

Le foto sono molto chiare e non hanno dettagli **(20)**?
Questo è dovuto all'uso di un diaframma troppo
aperto o di un tempo d'esposizione troppo lungo.
Controlliamo che la rotella Chiaro/Scuro, il selettore
scene e la ghiera della sensibilità della pellicola siano
impostati correttamente. Nelle fotocamere con
esposizione automatica la posizione del soggetto può
influire, in quanto la macchina potrebbe aver letto
l'esposizione su un elemento più scuro del soggetto,
per esempio lo sfondo. In questo caso avviciniamoci
di più al soggetto.

Sottoesposizione

Se usiamo una fotocamera professionale e otteniamo
una foto troppo scura **(21)**, controlliamo diaframma
e tempo di esposizione. Con un modello automatico
controlliamo che la rotella Chiaro/Scuro non sia su
Scuro. Se fosse nella posizione centrale, spostiamola
su Chiaro, per avere una foto meno scura. Se usiamo
una pellicola a colori assicuriamoci che la ghiera della
sensibilità sia posizionata sul valore corrispondente
a quello della pellicola utilizzata oppure che non
sia selezionata l'opzione Bianco e nero. Con le
fotocamere dotate di esposizione automatica,
una batteria con carica scarsa potrebbe causare
un malfunzionamento dell'esposimetro.

Infiltrazione di luci

Se la foto presenta delle aree chiare o una specie
di foschia diffusa, probabilmente si tratta di
infiltrazioni di luce dall'esterno **(22, 23)**. Questo può
accadere quando carichiamo la pellicola in ambienti
troppo luminosi, se maneggiamo la pellicola in modo
scorretto oppure quando il coperchio posteriore
è danneggiato o chiuso male. Se usiamo delle
pellicole sensibili che sono state esposte ai raggi
X potremmo avere lo stesso problema. Proviamo
una pellicola nuova e, se il problema persiste,
controlliamo il coperchio posteriore e se necessario
ripariamolo.

Immagine incompleta

Se manca l'immagine negli angoli o in uno dei bordi
(24) oppure è allineata male, è possibile che
la pellicola sia stata tirata fuori dalla fotocamera
in modo non corretto e questo abbia provocato una
non uniforme diffusione dei reagenti chimici.
Se l'immagine è dritta, ma ci sono dei segni marroni
attorno alle zone mancanti, può essere che la pellicola
fosse scaduta e che i reagenti chimici si fossero
in parte seccati. Se sulla foto sono presenti
delle macchie bianche o giallastre **(25)**, può essere
che i rulli siano sporchi.

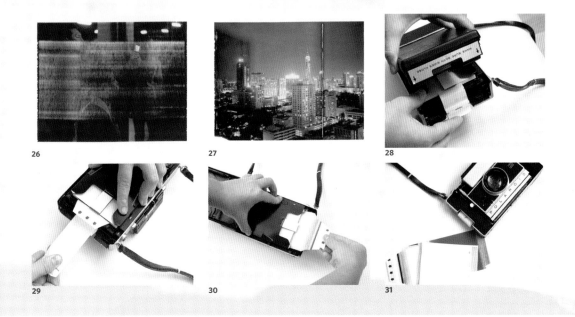

26

27

28

29

30

31

Inceppamenti della fotocamera

Quando si usa una Polaroid è possibile che si verifichino degli inceppamenti. Ciò risulta estremamente fastidioso, soprattutto se si considera il costo delle pellicole istantanee.

Inceppamenti frequenti
Se la fotocamera si inceppa regolarmente e le foto sono rovinate da abrasioni dell'emulsione o da zone non stampate **(26, 27)**, ciò può essere dovuto all'uso di pellicole Fuji con una fotocamera provvista di timer di sviluppo. Infatti il timer esercita una pressione anomala sul dorso della cartuccia, rendendo difficoltoso estrarre la foto dalla macchina fotografica e provocando la comparsa di queste alterazioni sull'emulsione. Una soluzione temporanea è tirare fuori il dorso metallico di una cartuccia Polaroid e metterlo al posto di quello della pellicola Fuji.

Se usiamo spesso pellicole Fuji possiamo adottare una soluzione definitiva. Rimuoviamo completamente il timer di sviluppo. Può essere d'aiuto anche rimuovere la molla metallica piatta dentro allo scomparto della pellicola, piegandola indietro e tirandola fino a quando non viene via.

Inceppamenti sporadici
Se il problema riguarda la linguetta può essere che sia stata tirata troppo violentemente e che si sia strappata. Se dalla fotocamera esce almeno un pezzo di linguetta è possibile usare una pinza per tirarla del tutto fuori. Se questo non dà risultati è necessario sganciare la chiusura del coperchio posteriore della macchina e aprirlo leggermente. La diminuzione della pressione sulla pellicola può far sì che la linguetta esca più facilmente.

Se ciò non accade è necessario aprire completamente il coperchio della fotocamera per rimuovere la foto inceppata. Facciamo questa operazione in un luogo buio per evitare di far prendere luce alla pellicola. Dopo aver aperto il coperchio parzialmente, premiamo in basso la cartuccia con un dito **(28)**. Tenendo premuta la cartuccia estraiamo dalla fotocamera la pellicola più in alto, utilizzando la linguetta bianca sottile **(29)**. Poi tiriamo anche la linguetta più larga nella direzione indicata dalle frecce **(30)** finché il foglio di pellicola non esce dalla cartuccia. Chiudiamo il coperchio posteriore della fotocamera e assicuriamoci che la linguetta bianca della foto successiva sporga correttamente dallo slot **(31)**.

Consigli per l'acquisto

Per maggiori informazioni consultare la Guida agli accessori e alla compatibilità (pp. 30-31) e la Guida alla compatibilità delle pellicole istantanee (pp. 224-229)

Modelli con corpo rigido

Molte delle fotocamere di tipo 100 hanno caratteristiche simili, ma alcune presentano delle funzioni di messa a fuoco migliori e obiettivi in vetro rivestiti (*coated*). Tra queste la Colorpack III ha delle barre al posto dei rulli per spargere i reagenti chimici, accetta pellicole da 75 e 3000 ASA e ha un mirino per la messa a fuoco assistita. Le versioni con obiettivo in vetro sono relativamente comuni.

Tra gli altri modelli ci sono la Super Shooter **(1)**, Super Shooter Plus e la Colorpack V (o CP5), che hanno obiettivi in plastica, i rulli e accettano pellicole tipo 100 da 75 e 3000 ASA. Per i ritratti la migliore è la Big Shot **(2)**.

I modelli Type 80 accettano solo pellicole Type 80, quindi in questo gruppo sono l'opzione che offre meno flessibilità.

Modelli a soffietto

La migliore è la 250 **(3)**. Dotata di mirino pieghevole Zeiss (p. 29), obiettivo in vetro, corpo metallico, la vite per il treppiede e il selettore delle scene (per scegliere accuratamente la scena che si vuole riprendere). Le fotocamere 100, 350, 360 e 450 sono tutte valide opzioni. I modelli con timer di sviluppo sono da evitare, in quanto possono comprimere le pellicole e rendere difficile l'estrazione, rovinandone l'emulsione, oltre a essere spesso poco accurate. Anche i modelli con corpo e obiettivo in plastica sono da evitare, particolarmente quelli con mirino fisso a finestra singola, non compatibili con i kit Close-Up e Portrait (p. 29).

Le fotocamere Automatic peel-apart hanno bisogno di batterie che sono di difficile reperimento. Consultiamo la tabella alle pp. 30-31 per trovare quelle compatibili e quella alle pp. 234-235 per

i rivenditori. Possiamo anche convertire alcune fotocamere per accettare pile moderne. Controlliamo la compatibilità nella colonna specifica a p. 31.

Le fotocamere professionali a soffietto offrono la maggiore flessibilità per la fotografia manuale. La 195 **(4)** ha un obiettivo con un diaframma più aperto, ma ha un mirino a due finestre (che rende meno rapido lo scatto) e lo scomodo timer di sviluppo. La 180 ha un mirino Zeiss singolo e un buon sistema EV, ma un diaframma meno luminoso. La 190 è la migliore delle tre, avendo un'ampia apertura massima (f3.8) e il mirino Zeiss, ma è rara. La 195 e la 190 hanno purtroppo l'inutile timer di sviluppo. NPC ha prodotto la NPC195, che ha una messa a fuoco migliore dell'originale 195, ma non è compatibile con molti dei suoi accessori.

Oltre ai modelli professionali a soffietto c'è un gruppo di fotocamere conosciute come 600, con corpo in metallo e molto robuste. In questo gruppo ci sono due Polaroid, la 600 e la 600SE **(5)**, entrambe a telemetro. Il modello 600 ha il portapellicola intercambiabile, ma la 600SE ha anche obiettivi intercambiabili (75mm, 127mm, e 150mm) e accessori per il mirino, che danno maggior accuratezza per la composizione; tutte caratteristiche che rendono questo modello il più flessibile sul mercato tra quelli compatibili con i film pack.

C'è anche la Konica Instant Press **(6)**, che produce immagini paragonabili a quelle della 600SE e ha un diaframma più flessibile, ma è incompatibile con gli accessori Polaroid.

Nota per l'acquisto

Teniamo sempre un occhio aperto per la rara 185. Ne sono stati realizzati pochi esemplari (50-200) e sono stati dati ai più stretti collaboratori di Land. Hanno un esposimetro incorporato e un valore molto alto.

1

3

2

5

4

6

Come
Asciugare e conservare le foto

1   2   3

Asciugatura delle foto

Alla fine dello sviluppo, dopo essere state separate, alcune pellicole positive impiegano parecchio tempo ad asciugarsi, soprattutto quelle a colori. Le foto possono attaccarsi fra di loro provocando danni alle emulsioni oppure possono catturare la polvere che si deposita sulla superficie.

Per evitarlo, realizziamo un libriccino di carta da forno antiaderente (oleata), tagliata su misura, e mettiamo le foto tra le sue pagine. Questo può far apparire sulla superficie delle foto asciutte delle leggere macchie, che però non saranno visibili nelle immagini acquisite con uno scanner e svaniranno con la tecnica *emulsion lifting* (pp. 146-149).

Per tenere i negativi al sicuro prima di usarli per la tecnica *negative clearing* (pp. 182-185), rimuoviamo la carta di contorno assieme ai residui di prodotti chimici e mettiamoli in sacchetti Ziploc (sacchetti per freezer) con una piccola quantità di acqua per mantenerli umidi e al riparo da graffi.

Per conservare nel lungo periodo le stampe Polaroid, riponiamole in scatole da archivio *acid-free* assieme a delle bustine di sali di silicio. Mettiamo le stampe ben distese e separiamole con carta da archiviazione sempre acid-free.

Volendo possiamo realizzare da zero la nostra scatola per asciugare e conservare le Polaroid.

Cerchiamo una scatola abbastanza grande da ospitare le foto messe in piedi e due molle di dimensione adeguata **(1)**, appena un po' più corte del lato della scatola.

Pratichiamo in questa quattro fori, che serviranno per fissare le due molle. Queste, una volta inserite **(2)**, dovranno sovrapporsi solo al bordo della foto **(3)**, senza toccare il riquadro dell'immagine. Dopo aver infilato un'estremità delle molle nei buchi di un lato della scatola, pieghiamole con una pinza dai becchi sottili per impedire che si sfilino dal buco. Ripetiamo il procedimento all'altra estremità in modo che rimangano leggermente tese. Ora possiamo infilare i bordi delle foto nelle molle per farle asciugare senza che si tocchino.

Se non amiamo il bricolage, possiamo trovare una serie di alternative belle e pronte, incluse le scatole di Step5 o Holgamods prodotte con stampante 3D (lista di rivenditori alle pp. 234-235).

Le più grandi pellicole Polaroid commerciali sono le 20x24 pollici.
La monolitica fotocamera è stata utilizzata da una serie di artisti famosi, tra cui Andy Warhol, Chuck Close, Mary Ellen Mark, Ellen Carey, Robert Rauchenberg e William Wegman.

La prima 20x24 è stata realizzata dagli ingegneri di Polaroid per eseguire un ritratto di Howie Rogers, il direttore della ricerca in Polaroid. Fu assemblata con parti trovate nei laboratori e utilizzava una pellicola grezza di grandi dimensioni uscita dalla linea di produzione in rulli (un negativo largo 60 pollici e un positivo da 44).

Nel 1976 Edwin Land, che aveva dell'uomo di spettacolo, decise di replicare il sistema in lavorazione per un meeting di azionisti. L'idea era quella di fotografare una persona del pubblico dal palco: una sfida che non poteva essere accettata che da un talento come Andy Warhol.

Nel periodo fra il 1977 e il 1978 Polaroid ne realizzò altri cinque modelli. Uno di questi andò a finire nello studio di John Reuter a New York, mentre un altro divenne proprietà della fotografa ritrattista Elsa Dorfman (qui a sinistra), che si ritirò nel 2016 a settantotto anni.

Dalla fine della Polaroid, la produzione delle pellicole fu in mano a John Reuter e al suo piccolo team in un minuscolo laboratorio fuori Boston. Reuter acquistò i prodotti chimici quando la fabbrica Polaroid fu chiusa, miscelandoli e riempiendo le sacche (pod) delle pellicole solo quando serviva. Tuttavia, a causa della crescente instabilità dei reagenti chimici e del calo della domanda, nel 2016 Reuter annunciò di voler terminare la produzione.

Nel corso degli anni diverse aziende realizzarono le proprie versioni del modello. Una di queste fotocamere è ancora in funzione nel negozio Supersense di Florian Kaps a Vienna. Lì possiamo anche trasferire le nostre foto digitali nel formato 20x24 pollici con il Superlab: la fotocamera 20x24 è connessa con un iPad, diventando così una specie di gigantesco Instant Lab (p. 72).

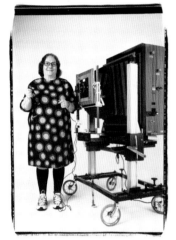

Elsa Dorfman, autoritratto con la sua
fotocamera 20"x24", 2003.

Glossario delle pellicole
Pellicole autosviluppanti

Nel 1972, dopo molti anni di ricerca e circa seicento milioni di dollari di investimenti, Polaroid produsse la prima pellicola autosviluppante integral, la SX-70 (per le fotocamere compatibili, controlliamo pp. 44-55). Si dice che lo sviluppo delle pellicole autosviluppanti sia stato in parte spronato da Claudia Alta "Lady Bird" Johnson, la First Lady statunitense dal 1963 al 1969, che nell'ambito della sua campagna "Beautification" lanciata per ripulire le città della nazione, chiese a Land di sviluppare un sistema fotografico che non creasse troppi rifiuti.

La pellicola in un singolo foglio si sviluppava alla luce del sole, fermando automaticamente la reazione chimica una volta che l'immagine si fosse formata del tutto. Tutte le pellicole Impossible (pp. 82-90), Fuji Instax (pp. 78-81), SX-70, Spectra (pp. 66-71), 600 (pp. 58-63) e i vecchi formati di pellicole, incluse le 500 (p. 76) e le i-Zone (p. 77), funzionano in questo modo.

Le pellicole autosviluppanti danno luogo alle "classiche" Polaroid, con il bordo inferiore più largo e un'immagine centrale quadrata o rettangolare. Nel bordo inferiore si trova la sacca con i reagenti chimici segreti. Molte cartucce di pellicole autosviluppanti includono anche la batteria che fa funzionare la fotocamera.

Il processo chimico dello sviluppo di queste pellicole, ritenuto da molti come la più complessa reazione chimica realizzata dall'uomo, consisteva in centinaia di reazioni chimiche sequenziali. Sebbene fossero simili alle pellicole peel-apart (pp. 22-23) e usassero una simile molecola trascinante dei pigmenti durante la fase di sviluppo, le pellicole SX-70 furono anche le prime a fare uso dell'ingegnoso sistema di Land basato sugli opacizzatori chimici che bloccavano la luce una volta attivati da un reagente contenuto nella sacca della foto. In questo modo creavano una specie di scudo fra gli strati sensibili alla luce e lo strato trasparente esterno.

Lo "strato di opacizzazione" si otteneva tramite indicatori alcalini di pigmento a elevato pH. Questi sono pigmenti che cambiano colore quando vengono a contatto con alcali o acidi. Essi migrano attraverso gli strati della pellicola e infine raggiungono uno strato acido che in risposta ne riduce il pH e li rende privi di colore. Quando queste tinte solide alcaline sono neutralizzate, "appare" l'immagine latente che è stata sviluppata sotto.

Se dividiamo gli strati di una foto autosviluppante possiamo vederne uno di reagenti chimici bianchi che forma lo "sfondo" della foto stessa. Questo è lo strato di diossido di titanio. Lo strato dei pigmenti diffusi dell'immagine è trasparente e il fondo dell'immagine è nero, quindi senza questo strato bianco sarebbe impossibile leggere la foto a meno di separarla e tenerla controluce. Questa stratificazione dà luminosità all'immagine e crea profondità.

Una volta sviluppata, la foto viene resa stabile attraverso una reazione neutralizzante che produce acqua, in maggior misura che nelle pellicole peel-apart. Se rimane dell'umidità, gli effetti possono essere devastanti. Per prevenire questo problema, nella parte posteriore delle pellicole autosviluppanti si trovano dei fori di aerazione che solitamente permettono all'umidità di evaporare.

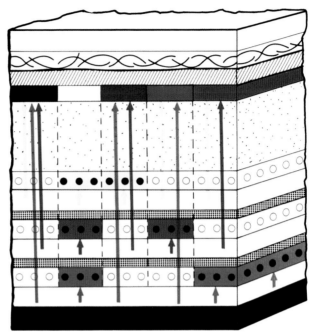

Strato plastico trasparente

Strato con polimero acido

Strato *timing*
Immagine positiva nello strato ricettore
dell'immagine, visibile da sopra

Componente tinta bianca del reagente

Immagine negativa nello strato sensibile
al blu

Strato di sviluppo tinta metallizzata gialla
Distanziatore
Immagine negativa nello strato sensibile
al verde
Strato di sviluppo tinta metallizzata magenta
Distanziatore

Immagine negativa nello strato sensibile
al rosso
Strato di sviluppo tinta metallizzata ciano

Negativo base

● **Argento sviluppato**

In alto: diagramma dei diversi strati
della pellicola autosviluppante
In basso: rappresentazione
dell'espulsione della pellicola
autosviluppante nella SX-70.

It's here.
Polaroid's new SX-70.
The most advanced photographic system in the world

Fotocamere serie SX-70

Le SX-70 pieghevoli

A differenza dei precedenti modelli di Polaroid, la SX-70 è stata la prima fotocamera veramente portatile; abbastanza piccola da stare, quando chiusa, in una grossa tasca. Tutte le SX-70, eccetto la Model 3, erano fotocamere SLR, o *single-lens reflex*, cioè reflex a obiettivo singolo, e sono state le prime SLR pieghevoli mai prodotte. Come le fotocamere peel-apart, le SX-70 utilizzavano un *electric eye* per l'esposizione automatica.

Le SX-70 sono eleganti e funzionali. Consentono di mettere a fuoco manualmente, hanno obiettivi di buona qualità in vetro e offrono una grande profondità di campo, da f.8 a f.90. Utilizzano un sistema di flash in linea e questo fa sì che siano compatibili con i flash rimovibili e riutilizzabili ora prodotti da MiNT. Inoltre, è possibile rimuovere i flash se lo si desidera. La messa a fuoco per il close-up è incorporata e permette di ottenere foto nitide da solo 26,6 cm di distanza. Macro e telefoto possono essere ottenute con l'ausilio di determinati accessori.

Una delle migliori macchine nella gamma delle pieghevoli è l'Alpha 1 del 1977. A prima vista la SX-70 e l'Alpha 1 sono pressoché indistinguibili, ma in realtà ci sono molte differenze. L'Alpha 1 ha l'attacco per il treppiede incorporato, un efficace mirino con immagine spezzata per la messa a fuoco, una cinghia regolabile per il trasporto e offre la possibilità di usare il flash come luce di riempimento. Il flash, infatti, può essere usato in qualsiasi momento, non solo in condizioni di luce scarsa.

L'Alpha 1 è la preferibile tra le SX-70, sebbene tutte le fotocamere pieghevoli (eccetto la Model 3) siano ottime scelte. Grazie a una serie di accessori è possibile sopperire alle funzioni mancanti. Cerchiamo sempre fotocamere con finiture in pelle (quelle marroncine e metalliche). Evitiamo quelle ricoperte di similpelle (Porvair), che con il tempo tende a deteriorarsi rovinandone l'estetica e generando un fastidioso pulviscolo che si insinua nella fotocamera. Le versioni con corpo bianco o nero hanno questa rifinitura. È possibile sistemare queste SX-70 utilizzando della pelle tagliata su misura (vedi elenco rivenditori). Impossible Project vende fotocamere rimesse a nuovo con garanzia estensibile a tre anni.

Varianti

Nel 1978, Polaroid produsse una SX-70 autofocus. Basata sull'Alpha 1, utilizzava un sistema *sonar pulse* per mettere a fuoco, che la rese più lunga e fragile. Sebbene fosse possibile disattivare l'autofocus, certi accessori, tra cui il kit per il close-up 1:1, non potevano essere installati. Premendo a metà corsa il pulsante di scatto era possibile vedere un'anteprima della messa a fuoco.

MiNT ha recentemente rilasciato tre versioni della classica Alpha 1. La prima, la SLR670-S, assomiglia alla SX-70, tuttavia è compatibile

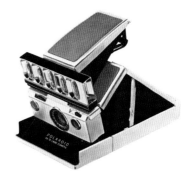

Dall'alto: la fotocamera SX-70 con finiture in pelle e l'unità flash. Edwin Land illustra il funzionamento della SX-70, dalla rivista "Time Life", ottobre 1972. Una SX-70 sopra una visualizzazione del suo corredo elettronico.

con le pellicole 600 e permette di aumentare la sensibilità di sei volte, offrendo maggiori possibilità di scatto in interni. Inoltre, è compatibile con tutti gli accessori delle SX-70 esistenti.

La seconda, la SLR670-M, è dotata della *Time Machine* di MiNT, che permette di passare dall'esposizione automatica al controllo manuale dei tempi. È la sola fotocamera SX-70 a farlo e ha una gamma di tempi di scatto da 1/2000 di secondo a 1 secondo, più la Posa B per le lunghe esposizioni. Sebbene studiata per pellicole SX-70, il controllo manuale permette di compensare la diversa sensibilità delle pellicole 600.

Nel 2016, MiNT ha presentato la SX-70-S: un ibrido derivato dalla SX-70-M e dalla SX-70-A. Fornita anch'essa di time machine, funziona sia con pellicole SX-70 sia con le 600. Quest'ultima è la più duttile tra le fotocamere SX-70 esistenti. In entrambi i modelli dotati di time machine c'è un'utile funzione che permette di bloccare il pulsante di scatto.

SX-70 Box-Type

Nel 1976 Polaroid, a partire dalla Pronto!, ha iniziato a produrre massivamente fotocamere integral più economiche, alcune delle quali estremamente terra terra. Queste macchine furono rilasciate in rapida successione per controllare le vendite di pellicole: alla Pronto! seguì a breve la Model 1000 OneStep, che globalmente divenne in breve il modello più venduto del 1977. Queste fotocamere, oggi facilmente reperibili, sono un ottimo punto di partenza per la fotografia istantanea, in quanto offrono maggiore flessibilità rispetto ai successivi modelli 600 e si possono trovare a buon mercato.

È facile confondere una fotocamera SX-70 con una 600 (pp. 58-63), però basta controllare che pellicola accetta la macchina, aprendo il vano portapellicola e controllando l'adesivo con le indicazioni. Questo è molto importante perché, sebbene diverse pellicole possano entrare nell'alloggiamento, la sensibilità della pellicola (ASA/ISO) è collegata all'esposimetro interno della fotocamera e alla velocità automatica dell'otturatore. I modelli sonar sono un buon affare e si possono riconoscere dalla griglia metallica circolare che hanno nella parte frontale. Come i modelli pieghevoli, le SX-70 box type hanno uno slot superiore dove possono essere inseriti i flash in linea. Alcune fotocamere hanno flash elettronici specifici. Se ne acquistiamo una senza il flash, possiamo utilizzarne uno esterno come quelli prodotti da MiNT. Cerchiamo di trovare le fotocamere Pronto Sonar OneStep, TimeZero OneStep o TimeZero Pronto AF (tutte con vite per treppiede, connessione per scatto a distanza e messa a fuoco manuale).

Accessori

SX-70 pieghevoli

Questi accessori sono utilizzabili con quasi tutte le fotocamere SX-70 pieghevoli (molti sono adatti anche alla Sonar Autofocus e alle MiNT). Alcuni possono essere utilizzati con le fotocamere pieghevoli tipo 600 (SLR680 e 690).

Compatibili con fotocamere integral pieghevoli, comprese le 600-speed SLR 680/690:

1. #111 – Attacco treppiede (non necessario per le fotocamere pieghevoli della gamma Alpha o 600)
2. #112 – Scatto a distanza
3. #119 e #119A – Accessorio Tele
4. #2350 – Flash Polatronic (non compatibile con SLR 680/690 perché queste hanno il flash incorporato)
5. #132 – Autoscatto meccanico

Compatibili con fotocamere integral pieghevoli (escluse le Sonar pieghevoli, le SLR 680/690 e le SX-70 che usano la time machine di MiNT):

6. Mint Bar 2 – Leggero flash ricaricabile con due settaggi di potenza. Compatibile con tutte le SX-70 (escluse le SLR 680/690).
7. #113 – Porta accessori che permette di usare le lenti close-up e di inserire i filtri. Il porta-accessori si infila nello slot del flash e non è compatibile con i modelli Sonar o SLR680/690.
8. #120 – Lenti e filtro. Richiede #113.
9. #137 – Adattatore per microscopio.
10. Custodia subacquea Ikelite per SX-70 pieghevoli (non Sonar). La messa a fuoco è difficile e la custodia piena d'aria fa da galleggiante, rendendo faticoso tenere la macchina sommersa.

1.

2.

3.

4.

5.

6.

7.

8.

9.

10.

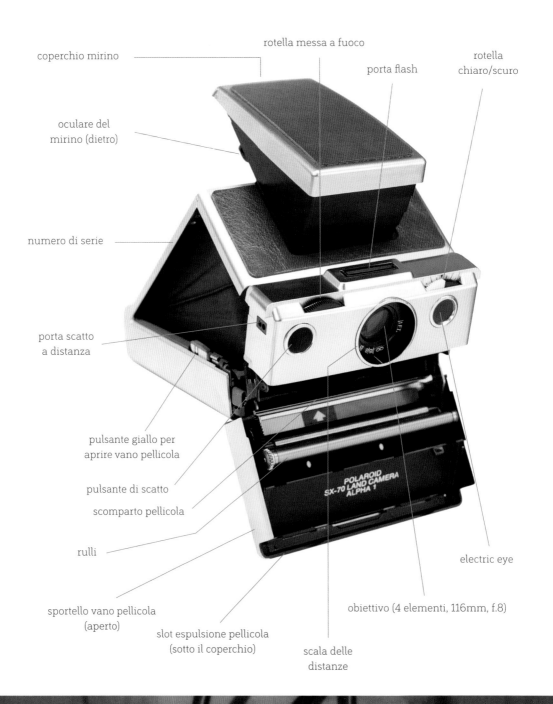

coperchio mirino

rotella messa a fuoco

porta flash

rotella chiaro/scuro

oculare del mirino (dietro)

numero di serie

porta scatto a distanza

pulsante giallo per aprire vano pellicola

pulsante di scatto

scomparto pellicola

rulli

sportello vano pellicola (aperto)

slot espulsione pellicola (sotto il coperchio)

scala delle distanze

obiettivo (4 elementi, 116mm, f.8)

electric eye

POLAROID
SX-70 LAND CAMERA
ALPHA 1

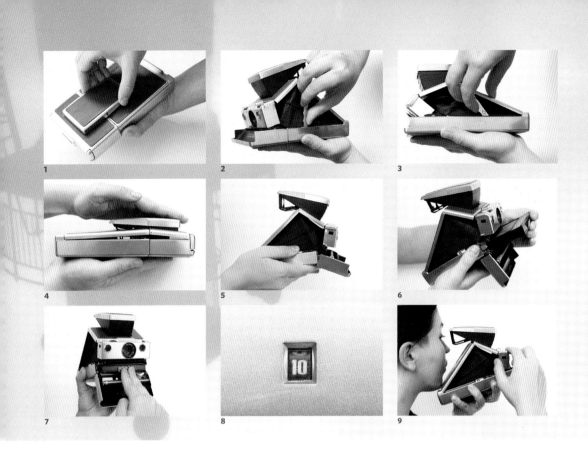

Guida per l'utente

Modelli pieghevoli SX-70

Aprire/Chiudere

Per aprire, prendiamo e tiriamo verso l'alto
il coperchio del mirino nella parte con il bordo
zigrinato **(1)**. Spingiamo la barretta metallica in
avanti fino a bloccarla **(2)**. Per chiudere, spingiamo
indietro la barretta **(3)** finché si blocca. Abbassiamo
il coperchio del mirino fino a quando entrambe
le parti della fotocamera combaciano **(4)**.

Caricare la pellicola

Con la fotocamera aperta, premiamo il pulsante
giallo, che si trova sul lato destro vicino al soffietto
(5), per aprire lo sportello del vano pellicola.
Apriamo la cartuccia, e partendo dall'estremità
sottile, con la dark slide verso l'alto **(6)**,
inseriamola a fondo finché la sottile linguetta
di plastica scatta in posizione di bloccaggio **(7)**.
Non esercitiamo pressione sulla cartuccia per
non far aprire le sacche dei reagenti e rovinare
tutte le foto.

Chiudiamo lo sportello. La dark slide viene espulsa
e sul contatore degli scatti appare la cifra 10 **(8)**
(le pellicole Impossible contengono solo 8 foto).
Per estrarre la cartuccia esaurita tiriamo la linguetta
di plastica colorata verso l'esterno.

Composizione e messa a fuoco

Incliniamo leggermente la fotocamera verso l'alto
e avviciniamo l'occhio a circa 3 cm dall'oculare del
mirino **(9)**. Se non vediamo tutti e quattro gli angoli
dell'area di composizione cambiamo posizione
dell'occhio. Se non vediamo lo stesso tutta l'area
controlliamo la Risoluzione problemi (pp. 52-53).
(Non tutte le fotocamere hanno una messa a fuoco
con immagine spezzata, a differenza dell'Alpha1.)

Per mettere a fuoco usiamo la rotella apposita **(10)**
finché non vediamo nel mirino l'immagine nitida.
La parte del mirino con l'immagine spezzata è più utile
quando fotografiamo con poca luce. In piena luce,
mettiamo la scala delle distanze su 4,5 m **(11)** e tutto
ciò che si trova da 2,4 m in avanti risulterà nitido.

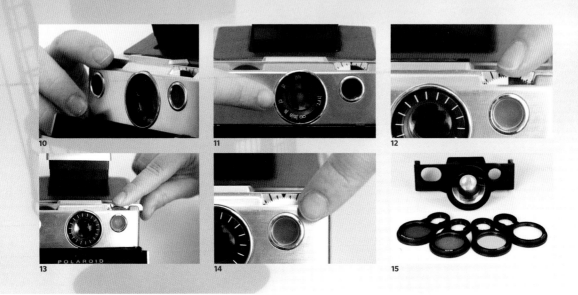

10   11   12

13   14   15

Impostazioni dell'esposizione

Le fotocamere SX-70 hanno l'esposizione automatica, ma possiamo applicare delle regolazioni con la rotella Chiaro/Scuro **(12)**. Se l'immagine è troppo chiara giriamo la rotella verso il nero per scurirla **(13)** o viceversa. Se usiamo una pellicola Impossible, per ottenere i colori migliori spostiamo la rotella di un terzo verso il nero. La rotella torna all'impostazione predefinita quando chiudiamo la fotocamera, quindi va regolata di nuovo ogni volta che si riapre.

La SX-70 ha un electric eye **(14)** che regola la velocità dell'otturatore in base alle condizioni di luce. Se fotografiamo un soggetto chiaro messo davanti a uno sfondo molto luminoso potremmo avere un'esposizione sbagliata in quanto la fotocamera basa la lettura della luce sulla zona predominante. In pratica lo sfondo verrà esposto correttamente, ma il soggetto può risultare sottoesposto. Per ovviare a questo problema avviciniamoci al soggetto in modo che lo sfondo si riduca nell'inquadratura.

Le fotocamere SX-70 sono progettate per essere utilizzate con pellicole SX-70, quindi se usiamo una pellicola più rapida, come la 600, che ha una sensibilità di 640 ISO, dovremo usare un filtro ND4. Possiamo applicare il filtro davanti all'obiettivo oppure fissarlo con del nastro adesivo sopra la cartuccia della pellicola. Possiamo acquistare dei filtri da MiNT **(15)** o filtri in gelatina pretagliati da Impossible. Online è possibile trovare filtri ND4 filettati da 28mm che possono essere avvitati all'obiettivo delle SX-70.

Le fotocamere SX-70 pieghevoli sono predisposte per utilizzare specifici flash intercambiabili in linea e diffusori per flash **(16)**, tuttavia ne sono disponibili altri, come quelli prodotti da MiNT. I flash possono essere usati anche in piena luce, in quanto il dispositivo electric eye della fotocamera legge sia la luce naturale sia quella prodotta dal flash. Per ottenere validi risultati, il soggetto deve essere posizionato davanti alla fotocamera a una distanza compresa tra 1,2 m e 3,5 m. Se usiamo il flash MiNT **(17)** in modalità di compensazione ND, non c'è bisogno del filtro ND per utilizzare le pellicole 600. Ricordiamoci di tenere la rotella Chiaro/Scuro nella posizione centrale e di mettere a fuoco bene perché la potenza del flash è automaticamente correlata alla distanza di messa a fuoco.

Scattare

È utile tenere presente che la SX-70 ha un'apertura massima di f.8. Le pellicole Impossible Color Film (per la SX-70) hanno una sensibilità di 160 ISO, anziché i 100 ISO di quelle prodotte da Polaroid, ma in condizioni di luce scarsa a f.8 anche una pellicola da 160 ISO richiederà tempi di scatto molto lunghi, con un elevato rischio di produrre foto mosse.

Quando premiamo il pulsante di scatto di una SX-70, passano alcuni istanti tra il clic del pulsante e l'avvio del rumore dei rulli: è questo il momento in cui l'otturatore è aperto. Non muoviamo la fotocamera e chiediamo al soggetto di fare altrettanto fino a quando non si sente chiaramente iniziare il rumore

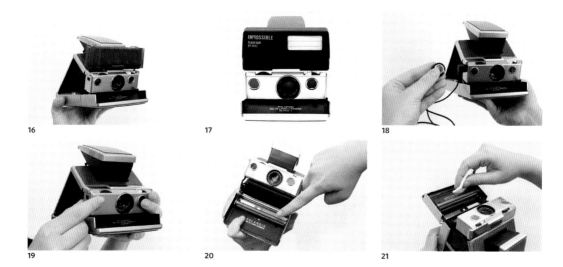

16   17   18

19   20   21

dei rulli. Stessa procedura anche quando usiamo il flash, in quanto questo emette il lampo qualche istante dopo il clic del pulsante di scatto.

Non impediamo in alcun modo alla fotografia di uscire dalla fotocamera, altrimenti l'emulsione verrà rovinata da strisce o abrasioni e la fotocamera potrebbe incepparsi.

Quando fotografiamo con poca luce usiamo il treppiede (con l'Alpha 1 va bene uno qualsiasi). Se la fotocamera non è dotata di vite per il treppiede usiamo l'apposito accessorio. Le fotocamere SX-70 sono in grado di esporre automaticamente fino a 14 secondi, una funzione utile quando si vogliono catturare le scie di luce lasciate dalle auto in transito oppure dei tramonti. Per evitare di avere foto mosse usiamo il cavo di scatto a distanza **(18)** (p. 47).

Premiamo il pulsante di scatto delicatamente e teniamolo premuto per almeno un secondo dopo il clic. La fotocamera continua il procedimento fino a quando avrà ottenuto un'adeguata esposizione della pellicola. Per le lunghe esposizioni leggiamo le pagine da 104 a 107 oppure usiamo una fotocamera MiNT con time machine. Se vogliamo i tempi di scatto più lenti disponibili nella fotocamera possiamo coprire l'electric eye mentre premiamo il pulsante di scatto **(19)**.

Quando la foto esce dalla fotocamera prendiamola solo lungo il bordo bianco. Se applichiamo una pressione sulla sua superficie o la agitiamo, i reagenti chimici non si spanderanno uniformemente, compromettendo il corretto sviluppo dell'immagine.

Manutenzione della fotocamera

Avere cura della propria fotocamera è il segreto per ottenere foto migliori. Le fotocamere SX-70 soffrono parecchio se vengono lasciate inutilizzate per anni. Conserviamole in un ambiente privo di polvere e al riparo da temperature estreme.

Pulizia dei rulli

Controlliamo lo stato dei rulli ogni volta che carichiamo una pellicola. Per accedere ai rulli e pulirli abbassiamo la porticina 'B' **(20)**. Facciamo girare i rulli ed eliminiamo la polvere o i reagenti chimici secchi usando un panno leggermente inumidito **(21)**, quindi lasciamoli asciugare perfettamente prima di scattare. La cosa migliore è eseguire la pulizia quando c'è ancora una cartuccia vuota nel vano, così che la polvere o i residui non entrino nel vano portapellicola e possano depositarsi sullo specchio della fotocamera.

22

23

Risoluzione dei problemi

Esposizioni sbagliate
Quando scattiamo assicuriamoci di non coprire
l'electric eye e nemmeno il flash. Le pellicole
Impossible sono più sensibili delle originali SX-70,
quindi giriamo la rotella Chiaro/Scuro verso il nero.
Se la foto è per metà o completamente biancastra,
potremmo aver esercitato una pressione sul soffietto
durante lo scatto.

Immagini rovinate
Lo slot di uscita delle foto può essere bloccato da
residui di reagenti chimici fuoriusciti e seccati.
Inseriamo una dark slide sotto il margine anteriore
dello sportello del vano portapellicola fino a quando
si apre, quindi muoviamo la dark slide avanti
e indietro e lateralmente per eliminare ogni residuo
secco **(22)**. Non forziamo l'apertura dello slot in
quanto potrebbe danneggiarsi e permettere alla luce
di entrare nella fotocamera. Se c'è vento estraiamo
subito la foto dalla macchina, altrimenti potrebbe
vibrare e danneggiare l'immagine **(23)**. Se vediamo
sulla foto delle macchie marroni e non sviluppate,
i reagenti dentro la sacca possono essere secchi
(24). Se lo slot di uscita è bloccato, vedremo nelle
foto delle strisce verticali o delle macchie **(25)**.

Pellicola che non esce
Gli inceppamenti sono inevitabili, quindi meglio
essere preparati. Per diagnosticare al volo
un problema, usiamo una cartuccia vuota ma
con batteria carica e una dark slide.
   Rimuoviamo la cartuccia senza far prendere luce

24

25

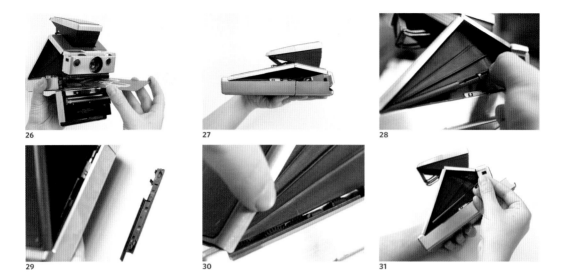

26

27

28

29

30

31

alla pellicola oppure apriamo leggermente
lo sportello del vano e inseriamo la dark slide nella
cartuccia per proteggere la pellicola mentre facciamo
la diagnosi **(26)**.

Ora ascoltiamo i rumori prodotti dalla macchina.
Dovremmo sentire nell'ordine: il suono dello
specchio che si alza, poi quello del motore
e degli ingranaggi, infine il rumore del braccio
di trascinamento. La dark slide dovrebbe essere
espulsa. A questo punto facciamo una serie
di cinque scatti per sicurezza.

Se il problema si risolve potrebbe essere stato
causato da una batteria poco carica. Rimuoviamo
le pellicole non usate dalla cartuccia incriminata
e mettiamole in un'altra cartuccia (pp. 64-65). Se la
dark slide non viene espulsa o continuiamo a sentire
il rumore del motore, può esserci un problema al
braccio di trascinamento. Questo, che si trova in
fondo al vano portapellicola, con l'andare del tempo
può deformarsi leggermente e non riuscire più ad
agganciare il foglio di pellicola per espellerla. Usando
uno strumento sottile spingiamo un po' il braccio
verso il basso, facendo attenzione a non toccare
lo specchio della fotocamera per non graffiarlo.

Inceppamenti

Se la foto si blocca mentre esce, lo slot potrebbe
essere ostruito. In una stanza con poca luce apriamo
lo sportello leggermente e proviamo a far girare i rulli
per muovere la pellicola.

Se non vediamo l'immagine nel mirino, lo
specchio potrebbe essersi bloccato e la fotocamera

potrebbe non scattare correttamente: non forziamo
la chiusura. Uno specchio bloccato può essere
sistemato con il metodo descritto sopra.

Se lo specchio ostruisce ancora il mirino dopo
aver inserito la cartuccia, ma i rumori emessi sono
corretti, c'è un'altra soluzione. Sul lato destro della
fotocamera **(27)** c'è un pezzo di plastica nera che
corre per tutta la lunghezza della macchina vicino
al soffietto **(28)**. Rimuoviamolo delicatamente
partendo dalla parte anteriore e andando verso
il fondo della fotocamera **(29)**.

Sotto troveremo una serie di rotelle dentate.
Mettendo il pollice su quella più vicina proviamo
a farla girare nella direzione in cui si muove più
facilmente **(30)**. Se la rotazione non diventa più
difficile, fermiamoci solo quando sentiamo lo *snap*
del braccio di trascinamento. A questo punto
guardiamo nel mirino se lo specchio si è sbloccato
e, nel caso, chiudiamo la fotocamera.

Rimettiamo al suo posto il pezzetto di plastica
(31), allineandolo con il pulsante giallo per l'apertura
del vano portapellicola. Inseriamo la cartuccia vuota
e premiamo il pulsante di scatto un paio di volte.

Altri problemi?

Se il mirino rimane costantemente nero mentre
teniamo premuto il pulsante di scatto significa che
la batteria della cartuccia è esausta. Cambiamo
cartuccia. Se abbiamo inserito un flash ma questo
non scatta, potremmo aver già usato tutte e cinque
le lampadine della fila e dobbiamo girare il flash per
usare quelle dell'altra fila.

In queste pagine: una selezione
di foto fatte con la SX-70 utilizzando
diverse pellicole (inclusa una
Polaroid SX-70 scaduta, pellicole
a colori e monocromatiche
di Impossible).

Consigli per l'acquisto

Modelli pieghevoli

Fotocamere SX-70 con vite per treppiedi e messa a fuoco con immagine divisa. Sono tutte rifinite in pelle, anche se ci sono modelli che è meglio evitare, perché è stata usata la similpelle, che nel tempo si disintegra. Tra queste, l'Alpha 1 **(1)**, acquistabile da Impossible.

Per un modello con maggiore controllo manuale cerchiamo la SLR 670-M **(2)** o la SLR 670-S di MiNT. Entrambe Alpha 1 ricondizionate, hanno una funzione disattivabile per scavalcare le velocità dell'otturatore in caso di lunghe esposizioni e una modificata compatibilità con pellicole.

I modelli con Sonar autofocus **(3)** con le migliori performance di messa a fuoco sono più adatti per le foto con luce scarsa, ma sono incompatibili con certi accessori, tra cui il kit per close-up.

Evitiamo i modelli meno costosi, come la SX-70 Model 3 **(4)** (l'unica non SLR, con mirino pieghevole trasparente e che usa la scala delle distanze per la messa a fuoco).

Modelli Box-type

I migliori sono quelli che offrono messa a fuoco manuale o automatica come le Pronto Sonar OneStep, TimeZero OneStep **(5)** o TimeZero Pronto AF (queste hanno la vite per il treppiede, la connessione per il cavo di scatto a distanza, messa a fuoco sia automatica sia manuale e compatibilità con flash elettronici).

Note per collezionisti

La fotocamera Alpha 1 placcata oro è certamente la più ambita tra le versioni di SX-70. Un altro modello raro è la Mildred Scheel Gold Alpha 1, con la firma del medico sul corpo macchina **(6)**. Furono prodotti solo mille esemplari che vennero messi in vendita nel febbraio 1978 durante un'asta pubblica indetta per raccogliere fondi per la ricerca sul cancro. Esiste anche un estremamente raro modello Sonar oro **(7)**.

Cimeli Polaroid

Polavision

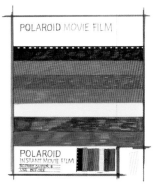

Nel 1977 debuttò il Polavision, che nelle previsioni di Land avrebbe dovuto essere il nuovo successo dopo quello della SX-70 (pp. 44-56). Tuttavia questo sistema video non riuscì a combattere ad armi pari con il meno costoso Super 8mm di Kodak e nemmeno con l'esistente Betamax e il preannunciato arrivo dei videotape. La qualità della pellicola non era eccezionale e la sensibilità troppo bassa (circa 40 ISO). Il video aveva una durata di solo due minuti e mezzo, senza audio e non editabile. Quello dei video amatoriali era un mercato specialistico a metà degli anni Settanta e il sistema Polavision arrivò con un decennio di ritardo.

Polavision era un sistema ingombrante (il display era grande quanto un televisore portatile). Senza l'apposito visore i video non potevano essere visualizzati e poche persone sembravano disposte a portarsi in vacanza una Polavision quando era molto più semplice usare le Super 8 e mandare i video a sviluppare. Le caratteristiche del sistema, in effetti, erano contraddittorie rispetto a quelle delle altre invenzioni di Land, in cui la semplicità d'uso e la portabilità rappresentavano i punti di forza. Oltre all'impossibilità di guardare i video senza l'apposito visore Polavision (a meno di non disassemblarli e spostare la pellicola su una bobina da 8mm),

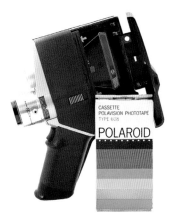

il costo del sistema era davvero esorbitante per gli standard del 1977: la cifra di 675 dollari riuscì a scoraggiare anche i più incalliti fan di Polaroid.

Con grande disappunto di Land, le videocamere e i visori vendettero poco e furono oggetto di critiche nei confronti dell'intera Polaroid. Per la prima volta la visione di Land aveva fatto cilecca. È difficile stabilire con esattezza i costi dell'operazione Polavision, ma è possibile stimarli attorno ai 450-550 milioni di dollari, mentre furono vendute solo 65.000 unità. Fu un flop mai visto prima. La produzione cessò nel 1979 e lo stock esistente fu venduto in perdita per circa 70 milioni di dollari.

Ma la fortuna di Polaroid cambiò nel frattempo con la SX-70: un successo in cui Land aveva sempre creduto e che portò consistenti profitti all'azienda. Anche i film pack continuarono a generare profitti. Molti fecero milioni, nel frattempo, vendendo i materiali Polaroid acquistati sottoprezzo. Il flop Polavision e gli investimenti necessari all'affermazione del sistema SX-70 non furono naturalmente sufficienti a mettere fuori gioco la Polaroid, ma rappresentarono in pratica l'inizio della fine e Land perse il suo stato di intoccabile e la sua posizione di predominio.

Dall'alto: schizzi di Paul Giambarba per il packaging Polavision. Videocamera e visualizzatore Polavision.

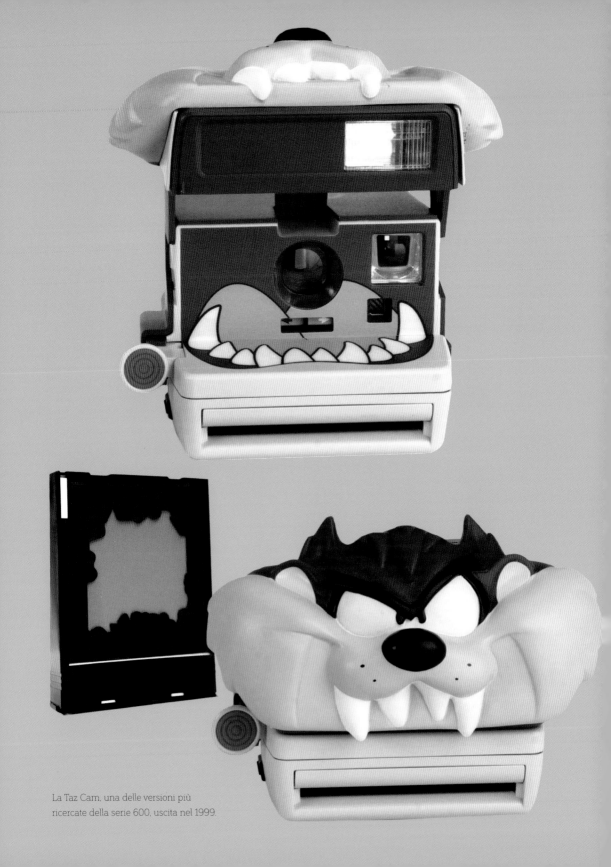

La Taz Cam, una delle versioni più
ricercate della serie 600, uscita nel 1999.

Fotocamere 600 Integral

600 Box-type (corpo in plastica)

Nel 1981 fu lanciata la prima fotocamera della serie 600, la OneStep 600. Si trattava di una macchina OneStep "box type" da usare con pellicole autosviluppanti (integral). La OneStep, con una parte apribile in plastica, la rotella Chiaro/Scuro e il pulsante di scatto, era molto semplice da usare. Il modello originale aveva lo slot per i flash in linea nella parte superiore.

Le caratteristiche e l'aspetto delle OneStep rimasero costanti nei vari modelli, di cui quelli ufficiali furono una trentina, ed ebbero cinque stadi di sviluppo: la OneStep 600, la OneStep Flash, la OneStep con cursore lente "close-up"; la bubble-like generation IV e la One Classic (generazioni da due a cinque illustrate a p. 61). Ci fu solo un modello "anomalo" nel gruppo delle 600: la Impulse (pp. 62-63).

Negli anni Novanta Polaroid rese il modello accattivante per un pubblico più giovane e il motto *Live for the Moment*, «vivi il momento», fu abbinato a una nuova linea di 600 indirizzate a ragazzi tra i nove e i dodici anni, e più tardi alla serie Wave, che mirava agli adolescenti ed era basata sul sistema i-Zone (p. 77). La linea Expressions si concentrò sull'uscita di una *CoolCam* rosa e nera, la Spice, sostenuta e promossa dalle Spice Girls all'apice della loro carriera.

In questo periodo ci fu la produzione di fotocamere più interessanti per i collezionisti. Vi furono delle edizioni speciali, come la Looney Tunes Taz o la rarissima Street Photo Night Cam, dotata di scatto remoto e del controllo sul flash, con un timer a dieci impostazioni che permetteva di fare esposizioni fino a 8 secondi.

600 pieghevoli

Nel 1982 Polaroid mise sul mercato il sistema professionale 600: la SLR 680, seguita dalla SLR 690 nel 1996. I due modelli erano sostanzialmente uguali, essendo basati sulla pieghevole SX-70 Sonar (pp. 44-56), ma presentavano un esposimetro migliorato e un flash elettronico incorporato controllato dal sonar, che poteva essere tenuto acceso o spento. Unico per i modelli pieghevoli era il riflettore del flash che si alzava automaticamente in base alla distanza di messa a fuoco. Come nei modelli SX-70 Sonar, era possibile usare sia la messa a fuoco automatica sia quella manuale e tutti avevano la vite per il treppiede. Con il flash disattivato e la fotocamera su treppiede era possibile usare esposizioni automatiche fino a 13 secondi.

Le SLR 690 e 680 offrivano un'accurata anteprima della messa a fuoco, con tanto di profondità di campo, un sistema autofocus e un obiettivo con trattamento antiriflesso su quattro strati. Come per i modelli della serie SX-70, la distanza minima di messa a fuoco era di 25 cm.

Dall'alto: la OneStep 600. La SLR 680. La OneStep 600 modello trasparente

Tutte le fotocamere della serie 600 accettavano pellicole 600.
Si trattava di pellicole a uso generico, con sensibilità di 640 ISO.
Avevano le stesse proprietà delle SX-70 e Time Zero, con l'eccezione
dei nottolini di plastica nella parte inferiore esterna del film pack, per
prevenire l'inserimento nelle fotocamere SX-70 e la conseguente perdita
delle foto a causa dell'eccessiva sovraesposizione. Tuttavia, quando
le pellicole SX-70 furono dismesse nel 2006, molti possessori
di fotocamere SX-70 eliminarono i nottolini per poter usare quelle
pellicole con le loro macchine, compensandone la maggiore sensibilità.

Ogni variazione delle pellicole corrispondeva a un miglioramento.
Furono rilasciate pellicole sempre più specifiche, tra le quali la 600 Copy
and Fax, per la riproduzione con fotocopiatrici e fax, in cui fu inserito uno
schermo a mezzatinta nel film pack, e delle 600 Black and White.
Ci furono anche le pellicole 600 Party, prodotte a partire dal 1996.
Si trattava di edizioni speciali dalla vita ridotta, alcune con i bordi
che si sviluppavano parallelamente alla foto e altre con il bordo su cui
erano stampate pubblicità di diversi prodotti. Oggi è possibile trovare le
pellicole 600 di Impossible Project in bianco e nero, colori e due tonalità.

Accessori delle 600 pieghevoli

Per una lista completa degli accessori andiamo a p. 47. Oltre a quelle
inserite qui, c'è una lente per close-up, ma un'opzione più alla portata
di mano è quella del kit di lenti per close-up di MiNT (p. 47).
Gli astucci per questi modelli sono spesso difficili da trovare,
ma possiamo realizzarli partendo da custodie doppie a libro per CD,
rimuovendo le cartelle interne per i CD e inserendo comodamente
la fotocamera e un paio di cartucce di pellicola all'interno.

Guida utente e risoluzione dei problemi

In termini di apertura e chiusura, caricamento delle pellicole,
compensazione dell'esposizione e messa a fuoco manuale, le 600
pieghevoli funzionano esattamente come le SX-70 pieghevoli.
Complessivamente sono eccellenti fotocamere per uso generico,
con la migliore capacità di catturare le immagini rispetto a tutte le
fotocamere Polaroid 600 originarie. I modelli box-type sono così
semplici da usare che non è stato reputato necessario includerne
qui alcuna guida per l'utente.

A sinistra: immagini grafiche di Grant
Hamilton, realizzate con le pellicole
600 di ultima generazione. **A destra:**
la rara lente per close-up, corredata di
diffusore per flash della serie 680/690.

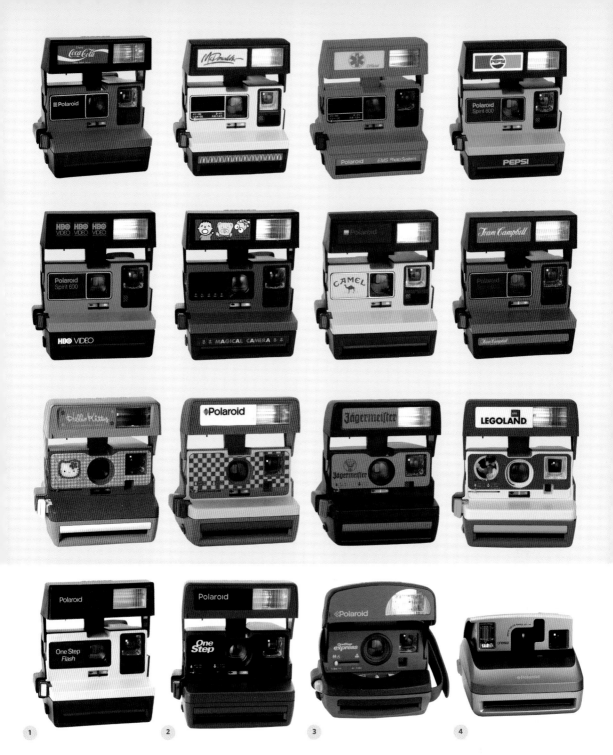

Sopra: esempi di edizioni speciali e promozionali collezionabili della 600.

Sotto: le generazioni da 2 a 5 della OneStep. **1.** la OneStep Flash; **2.** la generazione III, con cursore lente close-up;

3. la generazione IV bubble-like; **4.** la generazione V, conosciuta come One o One Classic.

Consigli per l'acquisto

Modelli Box-type

Semplici ed economici, i modelli box-type possono appropriatamente essere definiti "punta e scatta". Sono fotocamere perfette per avvicinarsi alla fotografia istantanea.

Prima di acquistarne una controlliamone le caratteristiche. Non lasciamoci ammaliare dai nomi, in particolare quando richiamano opzioni di messa a fuoco: diciture come "close-up" o "portrait" non significano molto di per sé. Molte fotocamere 600 hanno una messa a fuoco fissa da 1,2 m a infinito, mentre altre hanno lenti scorrevoli per i close-up, lenti che permettono anche di eseguire ritratti a tutto ciò che si trova più vicino di 1,2 m. Entrambi questi meccanismi sono poco accurati e danno spesso immagini sfocate.

I modelli con la dicitura "Pro" sono quelli che solitamente hanno più funzioni e sono degni di attenzione. Tra questi abbiamo la One600 Pro **(1)** e la One600 JobPro **(2)**, che offrono la possibilità di attivare o disattivare il flash, autoscatto, riduzione occhi rossi, uno schermo LCD di stato, controllo Chiaro/Scuro, un'apertura massima pari a f.12,9 e un autofocus a infrarossi a 45 cm (18"). La JobPro ha anche l'attacco per il treppiede. Anche la One600 Ultra potrebbe essere un buon affare, ma non ha il controllo Chiaro/Scuro né l'attacco per treppiede, mentre la distanza minima di messa a fuoco automatica è di 60 cm.

Altre occasioni possono essere le varianti sonar autofocus della gamma Impulse. Queste macchine danno con costanza foto nitide. Un modello con il sistema sonar – che include le edizioni AF (Autofocus) – è un buon punto da cui partire **(3)**. È disponibile un kit di filtri.

Anche la Sun 660 **(4)** ha una buona gamma di funzioni, incluso il sistema sonar autofocus, che permette di mettere a fuoco fino a 60 cm. Ha un obiettivo da 106mm che, sebbene sia fisso, ha un disco rotante interno con quattro lenti. Il diaframma va da f.14,6 a f.45 e i tempi di scatto da 1/3 a 1/200 di secondo. Ha l'attacco per il treppiede, un pulsante per ignorare l'autofocus (sotto al flash) e uno per ignorare il flash.

Evitiamo le prime versioni della 600 (con l'eccezione della Sun 660) e i modelli internazionali come le Amigo 610/620, Quick 610 e Pronto 600, che non hanno il flash incorporato.

Lasciamo stare i modelli senza lenti close-up o la CoolCam, che offrono poco controllo manuale.

Se abbiamo dubbi sulla macchina che stiamo per acquistare facciamo riferimento a The Land List (p. 235). Inoltre, chiediamo al venditore tutto ciò che vogliamo sapere.

Note per collezionisti

Ci sono due versioni collezionabili della Sun 660, un modello d'oro **(5)**, prodotto nel 1987 per celebrare il quindicesimo anniversario di Polaroid e uno completamente trasparente **(6)** usato come modello dimostrativo e che funziona perfettamente nonostante i dubbi di molti.

600 pieghevoli

Entrambi i modelli di 600 pieghevole sarebbero un buon affare, ma hanno prezzi elevati e sono molto ricercati dai fan di Polaroid e dai rivenditori.

La SLR 680/690 fa praticamente tutto senza bisogno di accessori. La SLR 690 è il modello più recente e più attraente, oltre che costoso, naturalmente.

Se vogliamo godere dei vantaggi delle SLR 680/690 senza spendere un capitale, possiamo acquistare una Sonar SX-70 pieghevole.

La SX-70 Time Zero Model II **(7)** ci offre il meglio dei due mondi, dato che ha un esposimetro più recente rispetto alle altre SX-70 Sonar, lo stesso della SLR 680. Con il passare del tempo, alcune fotocamere SX-70 hanno problemi con la lettura della luce e questo modello è quello che se la cava meglio di tutti.

Per compensare la differenza di sensibilità delle pellicole tra SX-70 e 600, basta montare un filtro ND-4 sull'obiettivo o un gel ND-4 sulla cartuccia delle pellicole. Possiamo applicare in modo semipermanente un filtro da 28mm ND-4 all'obiettivo staccandone il vetro e incollandolo alla lente con della colla a caldo.

Per aggiungere un'opzione flash compriamo quelli in linea riutilizzabili e leggeri di MiNT. Infatti, possiamo usare il *flashbar* II di MiNT per scattare foto con una pellicola 600 su una SX-70 senza mettere un filtro ND-4, compensando con il controllo di aumento/diminuzione della potenza.

Se il nostro budget ce lo consente, consideriamo le fotocamere completamente manuali MiNT SX-70 adattate e revisionate (p. 56). Con queste possiamo impostare manualmente i tempi di scatto e l'esposizione **(8)**.

Ci sono pochi ed estremamente rari accessori per le fotocamere 600 box-type Generation I-V e solo alcuni meritano di essere acquistati. Le fotocamere Generation II hanno l'accessorio P6467 close-up, che permette di mettere a fuoco oggetti a 5-10 cm. In alternativa possiamo comprare una fotocamera Impulse adattata, come la Dental Pro, relativamente facile da trovare, con tre lenti close-up e un flash inclinabile **(9)**.

Come
Cambiare pellicola nel film pack

Saper cambiare le pellicole nelle cartucce ha diverse applicazioni pratiche. Oltre a risolvere problemi legati alla carica delle batterie, torna utile in diverse tecniche creative, come l'esposizione multipla (pp. 108-113) e la manipolazione cartucce (pp. 114-123). Possiamo usare questo metodo perfino per trasferire singoli fogli di pellicole Spectra in fotocamere a rullino come la Polaroid 95a (p. 25).

Metodo

1 Prendiamo una cartuccia compatibile con quella da cui vogliamo prendere le pellicole *(a)*. Le cartucce vuote Impossible SX-70 e 600 sono intercambiabili. La batteria dura circa venti scatti.

Se vogliamo conoscere lo stato di carica testiamo la batteria usando i contatti della cartuccia. La lettura dovrebbe dare circa 6V, ma possiamo usarla fino a 3V.

2 Se vogliamo spostare delle pellicole ancora da utilizzare dobbiamo assicurarci di lavorare in un ambiente privo di luce. Prima di procedere è opportuno acquisire una buona dimestichezza in un ambiente illuminato.

3 Togliamo la dark slide dalla cartuccia donatrice e mettiamola da parte. Riconosciamo al tatto il sottile risvolto di plastica sulla slide (quello che scorre dentro lo slot nella parte superiore sinistra della cartuccia) e mettiamolo sul piano di lavoro rispettando l'orientamento. Estraiamo delicatamente le pellicole dalla cartuccia *(b)*. Mettiamo la pila di pellicole non esposte a faccia in su sulla dark slide, così che sia più facile reinserirle più tardi. Per sincerarci che siano a faccia in su cerchiamo delicatamente con le dita la sacca dei reagenti chimici. La parte di carta ondulata è il fondo e il lato di plastica liscio è quello frontale.

4 Inseriamo la pellicola. Dobbiamo premere in basso la molla centrale quanto più possibile mentre inseriamo la prima, per evitare di farla finire sotto *(c)*. Spingiamo l'estremità sottile della pellicola oltre il lembo paraluce e dentro la cartuccia *(d)*.

Assicuriamoci che le sacche dei reagenti siano dentro la cartuccia e vicino alla guarnizione che previene l'ingresso della luce. Esse possono rimanere impigliate tra i fogli di pellicola; se succede, estraiamole delicatamente *(e)*.

A volte può risultare difficoltoso inserire gli ultimi millimetri del foglio, ma assicuriamoci che questo vada a trovarsi esattamente tra la molla e la montatura in plastica della cartuccia. Potrebbe essere necessario premere delicatamente il foglio verso il basso per tenere schiacciata la molla mentre lo spingiamo sotto la cornice *(f)*.

Ripetiamo il procedimento per tutti i fogli di pellicola che dobbiamo inserire e ricordiamoci che se usiamo una cartuccia Impossible non possiamo inserirne più di otto.

5 Inseriamo la dark slide sopra l'ultimo foglio di pellicola. La linguetta nella parte superiore sinistra deve andare a finire nella corrispondente apertura della cartuccia *(g)*.

6 Assicuriamoci che tutti i fogli di pellicola siano posizionati correttamente e controlliamo ancora le protezioni per la luce. A questo punto possiamo accendere la luce e caricare la cartuccia nella fotocamera. La dark slide deve essere espulsa come al solito.

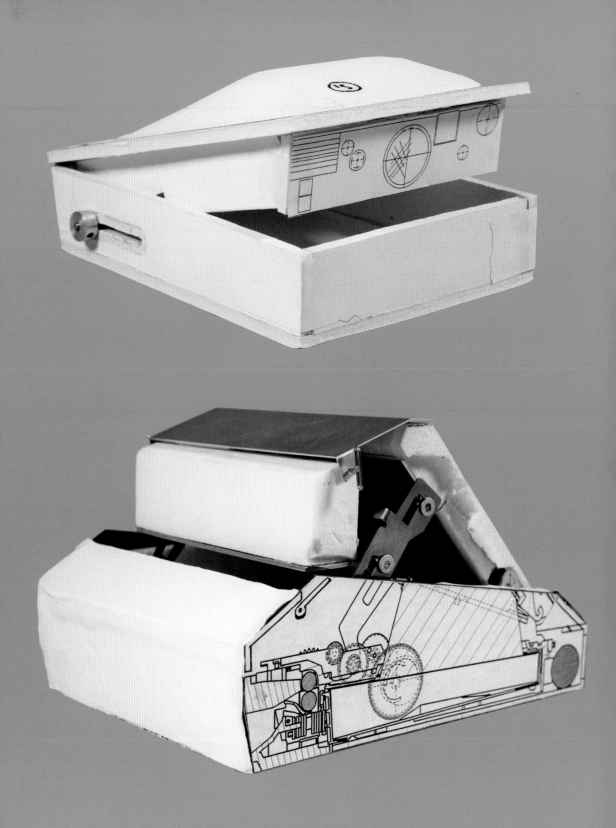

Fotocamere Spectra

Le Spectra, vendute fuori dagli Stati Uniti con il nome Image, erano dotate di obiettivi più potenti rispetto alle 600 (pp. 58-63) e di un sistema di messa a fuoco più efficace. Le pellicole Spectra hanno caratteristiche uguali alle Polaroid 600, ma rendono possibile l'utilizzo di un formato più ampio, con un'area immagine di 9,2x7,3 cm (3,6¼x2,8¾ pollici). Sebbene si parli spesso della pellicola 700, ne furono prodotte diversi tipi, incluse le 990, 700 e 1200. Una più recente versione, chiamata Softtone, è stata lanciata da Impossible. I primi film pack Spectra contenevano dieci pellicole, mentre le ultime edizioni ne contengono dodici. Tutte le fotocamere di questa serie sono compatibili con le cartucce Spectra di Impossible da otto fogli di pellicola, 640 ISO, sia in bianco e nero sia a colori. Un'interessante caratteristica delle pellicole Spectra di Impossible è che i singoli fogli possono essere usati con fotocamere a rullino come la 95a (pp. 24-25).

Fotocamere Spectra "Original Style"

Tutte hanno un obiettivo "Quintic 125mm f.10" a tre elementi, il flash incorporato, l'esposizione automatica (che può essere scavalcata nei modelli più sofisticati), tempi di scatto da 1/250 a 2,8 secondi e la messa a fuoco sonar. Alcune offrono, inoltre, la connessione per lo scatto a distanza, la vite per il treppiede, la funzione autoscatto e un coperchio pieghevole a molla che protegge l'obiettivo a fotocamera chiusa. Infine, sono anche in grado di eseguire esposizioni multiple (pp. 108-113).

Modelli comuni sono: Spectra, Spectra SE, Spectra AF, Spectra 2, Spectra Pro, Spectra 1200I, Spectra 1200SI e Spectra Onyx. Fotocamere Polaroid Image comuni, parallele alle serie Spectra, includono le Image (come Spectra), Image 2 (come Spectra 2), Image Elite, Image Elite Pro (come Spectra Pro) e Image Pro.

Eccezioni Spectra

Nel 1996 Polaroid rilasciò la ProCam, un modello Spectra con un nuovo design: pieghevole a molla, incernierata solo su un lato, con un obiettivo da 90mm, il più corto montato su modelli Spectra, offriva un campo visivo più ampio. Sebbene fosse venduta con un accessorio close-up, molti negli anni seguenti sono stati separati dalla fotocamera, che così perdeva questa funzione. Gli accessori dei modelli originali non sono compatibili. La ProCam ha la possibilità di inserire ora e data, l'autoscatto, il blocco all'infinito e il selettore Chiaro/Scuro, ma non l'autofocus, la funzione di scavalcare il flash e di fare esposizioni multiple.

Dall'alto: la Spectra di Enrique Valdiva, davanti al World Trade Center, 1986. Pellicole Impossible Spectra. Polaroid Image System Camera. Vista posteriore di una Spectra.

Nel 2001, Polaroid aggiornò la serie con la Spectra 1200FF, un'altra fotocamera pieghevole dotata lateralmente di un eccezionale meccanismo metallico pieghettato. Il suo profilo sottile ne fece la più piccola della serie Spectra. Il pannello dell'obiettivo è posto in testa alla macchina quando questa è chiusa e l'obiettivo ha un coperchio metallico che si apre quando la fotocamera viene aperta. Essa ha un obiettivo da 100mm, f.11,5 e un contascatti che arriva a dodici pose. Ha la messa a fuoco fissa e un selettore per il close-up (sotto i 60 cm). Mancano la vite per treppiede, il controllo Chiaro/Scuro, la possibilità di disattivare il flash.

Nel 2004 fu messa sul mercato l'ultima incarnazione di Spectra, l'Image 1200. Questo modello aveva una notevole differenza rispetto ai precedenti: uno schermo LCD a comparsa per la composizione.

Modelli SLR

Le Macro 3 e Macro 5 sono gli unici modelli SLR della gamma Spectra. Queste fotocamere non pieghevoli sono state progettate per essere usate nelle due principali aree industriali di Polaroid: scienza forense e medicina. In concomitanza con la gamma Macro, Polaroid distribuì una pellicola speciale che presentava sulle foto finite una griglia che permetteva delle corrette misurazioni in campo scientifico. Le fotocamere Spectra Macro erano strumenti estremamente utili per chiunque volesse scattare close-up o creare grandi mosaici fotografici.

La Macro 5 ha un tempo di scatto fisso di 1/50 di secondo e cinque programmazioni di ingrandimento: 0,2x (f.20), 0,4x (f.34), 1x (f.47), 2x (f.67) e 3x (f.100). Questo consente di avere una gamma di messa a fuoco da 7,5 a 132 cm. La Macro 3 ha solo tre opzioni di ingrandimento: 1x, 2x e 3x. Sono disponibili due lenti supplementari, sebbene sia difficile trovarle: una 0,67x e una 5,0x. Entrambe possono essere fissate a un treppiede o a un *copy stand* e sono progettate per scatti in interni, grazie agli eccellenti flash incorporati. La messa a fuoco è facile e accurata. Nella Macro 5 c'è perfino un griglia di allineamento all'interno del mirino. La messa a fuoco è data da due raggi di luce intersecati che si sovrappongono al soggetto.

Modelli "Pro"

Tutte queste fotocamere sono pieghevoli e compatibili con l'intera gamma di accessori Polaroid/Spectra. Sono anche le più costose della gamma. Una versione di Minolta, l'Instant Pro, uscì nel 1990, prima di quella di Polaroid.

I modelli "Pro" hanno obiettivi da 125mm a tre elementi, con vetri trattati antiriflesso. L'otturatore automatico ha velocità che vanno da 1/245 a 6 secondi, con la possibilità di utilizzare tempi più lenti per le lunghe esposizioni; il diaframma va da f.10 a f.45. La fotocamera ha un sistema di messa a fuoco a dieci zone e può mettere a fuoco da 60 cm a infinito. Le Spectra SLR hanno la più ampia gamma di funzioni tra le fotocamere istantanee.

Dall'alto: l'Image 1200FF. L'Image 1200 Professional con schermo LCD. La Macro 5. La Spectra Pro.

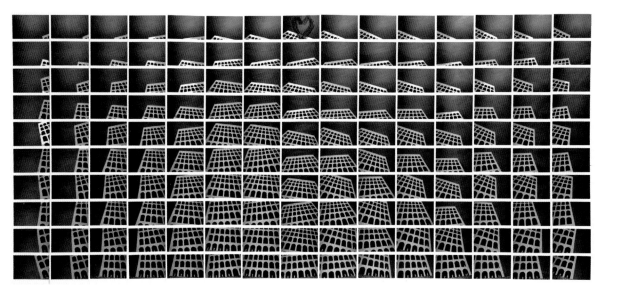

Spectra/Image Close-up Copy Stand

Per le fotocamere Spectra possiamo trovare questo duplicatore che permette di fotografare immagini piane con un ingrandimento 1:1. Questo accessorio è indispensabile per realizzare mosaici fotografici come quelli di Maurizio Galimberti, che vediamo qui sopra.

Tuttavia, questo accessorio è compatibile solo con le fotocamere pieghevoli Image/Spectra, come l'Image, Image 2, Image Elite, Spectra, Spectra 2 e così via. Non può essere usato con modelli come la Spectra 1200FF e Pro Cam.

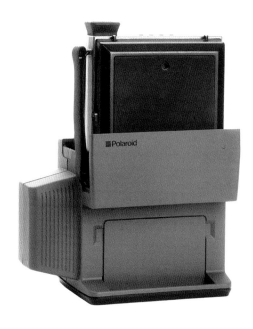

In alto: il mosaico fotografico di Maurizio Galimberti, realizzato usando il duplicatore Spectra close-up stand.
A destra: fotocamera Spectra inserita nel duplicatore.

Accessori

Molti accessori sono compatibili solo con fotocamere Original Style o Image, in quanto hanno forma simile e la stessa disposizione dell'obiettivo.

1.

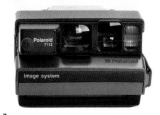

2.

3.

4.

5.

6a.

6b.

6c.

6d.

6e.

6f.

6g.

6h.

1. Lenti light-lock close-up (montato su una fotocamera Image System). Compatibile con tutti i modelli Polaroid Spectra con corpo simile, permette di scattare foto a ca. 25 cm (10") con un ingrandimento del 50%. Può avere una scala di misurazione manuale o il sistema AF light-lock. Quest'ultimo è solitamente poco accurato e il modello F112 (sotto) è un'opzione più economica e più che sufficiente. **2.** F112 – Lenti close-up con le stesse funzioni dell'accessorio descritto sopra ma senza il sistema AF light-lock. **3.** Kit di filtri per effetti creativi prodotto da Cokin. Include un portafiltri e cinque filtri: F101 (sfocatura orizzontale), F102 (alone rosso), F103

(starburst), F104 (immagine a tre prismi), F105 (immagine a cinque prismi). **4.** Scatto a distanza (funziona solo con fotocamere dotate di connessione per il controllo remoto, a cui va allacciato). Il ricevitore si collega alla presa e il trasmettitore wireless può stare ovunque nel raggio di 12 m dalla fotocamera. **5.** Portafiltri F106. Necessario per montare i filtri singoli (sotto). **6.** Filtri singoli: F101, filtro movimento **(6a)**, F102, alone rosso **(6b)**, F103, filtro Starburst **(6c)**, F104, Multi image (triplo) **(6d)**, F107, alone arancione **(6e)**, F108, alone diffuso **(6f)**, F110, polarizzatore **(6g)**, F111, immagine doppia **(6h)**.

Consigli per l'acquisto

Si trovano facilmente fotocamere Spectra di seconda mano a un prezzo interessante e in buone condizioni. Si tratta di un'opzione valida per chi mira a un buon rapporto qualità/prezzo.

Dato che le pellicole Impossible sono più sensibili delle Polaroid, è opportuno orientarsi su modelli che offrano la possibilità di compensare l'esposizione e questo esclude la 1200FF (p. 67) e l'Image 1200 (p. 68).

Orientiamoci su macchine Spectra originali o Image **(1)**, come pure sulle Spectra AF **(2)**; tutte offrono buone possibilità di controllo manuale e non costano troppo.

Per un modello dalle caratteristiche simili, ma più recente, orientiamoci sulla Spectra 1200SI, basata sulla Spectra originale, ma con linee smussate e un contascatti più avanzato. Evitiamo le edizioni Spectra 2, Image 2 e 1200I in quanto non permettono un intervento manuale e hanno come unico vantaggio, rispetto alla 1200FF, di avere il controllo Chiaro/Scuro sul lato posteriore. Se non siamo interessati al kit per close-up o agli accessori per l'obiettivo, la ProCam può essere una buona scelta nonostante il suo look bizzarro **(3)**.

Se il budget lo permette non tralasciamo di considerare uno dei modelli professionali Pro **(4)** (p. 68). Questi hanno una buona compatibilità con gli accessori e la migliore gamma di funzioni, inclusa la messa a fuoco manuale o automatica, la possibilità di fare lunghe esposizioni, le esposizioni temporizzate personalizzabili dall'utente, le esposizioni multiple, la vite per il treppiede e l'autoscatto. Se vogliamo avere close-up di ottima qualità orientiamoci sulla Macro 5 **(5)**.

Come per tutte le Polaroid, testiamo la fotocamera con la pellicola prima di comprarla e controlliamo che la macchina si apra e si chiuda senza problemi.

Note per i collezionisti
Le fotocamere Spectra non sono estremamente collezionabili. Le sole *limited edition* ufficiali tra le Spectra furono la Onyx, realizzata in plastica trasparente brunita **(6)** e la dorata First Edition **(7)**. C'è anche una rara versione della Spectra System realizzata con plastica completamente trasparente **(8)**.

Stampanti istantanee

Molti fotografi Polaroid fanno uso di *slide printer*, «stampanti istantanee», Daylab, Polaprinter o Vivitar. Questo equipaggiamento è facile da usare per fotografare materiale sorgente e trasformarlo in fotografie istantanee con il semplice tocco di un pulsante.

Usando il Daylab Copysystem Pro, il materiale sorgente può essere un'immagine stampata, fotografie e perfino oggetti tridimensionali. Daylab offre anche una serie di slide printer, alcune delle quali possono stampare in diversi formati, dal normale film pack al 5"x4", 8"x10" e nel formato SX-70 (incluse le pellicole di Impossible Project).

Vivitar e Polaprinter funzionano solo con diapositive 35mm e sono compatibili con i film pack della serie 100. Se optiamo per una di queste, assicuriamoci di avere a disposizione uno stock di diapositive da 35mm o prepariamoci a far trasformare le nostre foto digitali in diapositive. Essendo le diapositive sempre più difficili da trovare, questa può essere la migliore opzione. Il Vivitar ha il vantaggio di essere facilmente trasportabile e di avere uno slot per diapositive che coincide perfettamente con le dimensioni dei filtri in policarbonato colorati Supergel Rosco e Lee, permettendo di applicare facilmente la correzione dei colori e la realizzazione di effetti speciali quando vengono messi sopra alle diapositive.

Questi sistemi rendono più facile produrre grandi composizioni perfettamente combacianti. Possiamo utilizzare un'ampia gamma di obiettivi su normali fotocamere a pellicola per riprendere le immagini sorgente e poi trasferirle su Polaroid o Fuji FP-100C. Le fotocamere Polaroid possono risultare limitanti per la mancanza di zoom. Utilizzando una reflex 35mm e diapositive E6 abbiamo la possibilità di servirci di un teleobiettivo per riprendere scatti di soggetti lontani e di trasferirle facilmente su pellicole istantanee.

Questo semplice sistema è particolarmente comodo quando si devono imparare alcune delle tecniche illustrate in questo libro e permette di fare esperimenti senza correre il rischio di rovinare le immagini sorgente originali.

Dall'alto: Vivitar Instant Slide Printer.
Blocchetto di filtri Supergel Rosco.
Daylab Copy System Pro. Polaprinter.

Impossible Instant Lab

Questo ingegnoso dispositivo lavora con smartphone iOS e Android attraverso un'app che trasforma la immagini digitali in fotografie istantanee Impossible 600 e SX-70. Purtroppo non funziona con le pellicole Spectra.

Possiamo trasferire allo smartphone le immagini scattate con altre fotocamere per poi trasferirle a loro volta su pellicola istantanea. Possiamo creare grandi fotocomposizioni con Photoshop, quindi ritagliarle e impilarle perfettamente prima di esporle – un ottimo metodo per risparmiare pellicola. L'Instant Lab è eccellente per testare nuove idee sulle quali possiamo esercitare un certo controllo.

Si può dire se un'immagine è stata ottenuta con l'Instant Lab? La risposta è sì. I margini delle immagini ottenute con ogni Instant Lab appaiono leggermente vignettati. Quando usiamo la tecnica negative clearing (pp. 182-185) saremo in grado di visualizzare i pixel del display dello smartphone.

L'Instant Lab ha permesso di realizzare bellissime immagini, solitamente mostrando scene che non sarebbe mai stato possibile fotografare e senza bisogno di usare sacche scure per smontare cartucce per quelle difficili doppie esposizioni istantanee!

In alto: l'Instant Lab Universal è un dispositivo piccolo e compatto che diventa operativo quando viene esteso completamente.
In basso: Instant Lab in uso con un iPhone 6.

In alto e a destra: Ina Echternach, *Don't Panic* e *I Did Not Know that the Wind Could be Tender*, immagini realizzate con un Instant Lab.

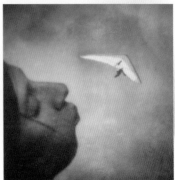

A sinistra: *The Waters of the Night.*
In alto: *West of the Moon, East of the Sun.*
In basso: *Summer #1*

Cimeli Polaroid

Captiva/JoyCam

Le fotocamere della serie Captiva rappresentarono l'ultima innovazione fotografica di Polaroid, e la loro ultima SLR (single-lens-reflex). Queste fotocamere furono quelle sottoposte al maggior numero di test compiuti presso i consumatori di tutta la storia della Polaroid. Il corpo macchina ripiegabile, dalla forma triangolare, è dotato di un copriobiettivo incorporato e di uno scomparto in cui vengono espulse le foto. Le Captiva hanno un buon autofocus, il flash e l'autoscatto. Tuttavia, queste caratteristiche non furono sufficienti a compensare il fatto che producessero foto piccole (4,4"x2,5"), con un'area immagine di solo 8,57x6,66 cm (27/8x21/8 di pollici).

Nel 1999 uscì la fotocamera JoyCam, rivolta al mercato giapponese; un modello economico, brutto e leggero compatibile con le pellicole 95. Fu la prima fotocamera integral che richiedeva l'estrazione manuale della pellicola. Non ebbe un grande successo.

Il formato 95 fece poche altre apparizioni, compresa la PopShots Polaroid, la prima istantanea usa e getta. Queste fotocamere sembravano più robuste delle JoyCam.

Poco dopo uscì la stampante P-500: un ingombrante dispositivo in plastica che permetteva di stampare da schede di memoria CompactFlash e SmartMedia, così da poter fare diverse stampe della stessa foto. Sebbene l'idea fosse buona, il prodotto non risultava particolarmente utile. La P-500 non era abbastanza piccola da essere portata in giro comodamente e non rappresentava un'alternativa portatile alle stampanti convenzionali. Inoltre, utilizzava materiale fotografico costoso e dava stampe troppo piccole per un utilizzo commerciale o tecnico.

Impossible attualmente produce una propria stampante ibrida, l'Instant Lab, che fa le stesse cose che faceva la P-500 anni fa, con la differenza che le pellicole Impossible sono più adatte alle manipolazioni creative. Sia la stampante digitale di Fuji, la Instax Share, che usa pellicole Instax Mini, sia la stampante bluetooth Zinc (chiamata Zip, e in precedenza Pogo), che trasferiscono immagini digitali su carta termica, utilizzano materiale dalle dimensioni molto simili a quelle delle pellicole 95.

Dall'alto: pellicole Polaroid 500. JoyCam. Fotocamere Captiva e PopShots. Ritratto scattato con una fotocamera Captiva.

Cimeli Polaroid

Polaroid i-Zone

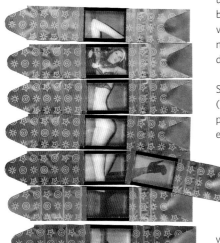

In alto: i-Zone polarama, di Steven Monteau.
In basso: Backstreet Boys i-Zone, confezione originale, 2001.

L'i-Zone è stata un economico sistema istantaneo dalla vita breve, uscito nel 1999, praticamente l'ultimo sussulto di Polaroid prima della bancarotta. Per un certo periodo fu la fotocamera che a livello mondiale vendette di più, realizzando il migliore profitto annuale di Polaroid nell'arco di un quinquennio e rappresentando la gran parte dei 9,7 milioni di fotocamere Polaroid vendute quell'anno.

Le i-Zone erano apparse in Asia sei mesi prima del lancio negli Stati Uniti come Tomy Xiao. Visto il successo del sistema Instax Mini (lanciato nel 1998, pp. 78-81), Polaroid fece un accordo con la Fuji per produrre questo modello. Le fotocamere Xiao erano economiche, leggere e, come le i-Zone, richiedevano l'estrazione manuale della pellicola dalla macchina. Le pellicole erano basate sull'emulsione delle 600 e le foto avevano dimensioni molto ridotte, solo 3,8x2,5 cm (1,5"x1"), come gli adesivi Puri Kura (chioschi fotografici) tanto popolari fra gli adolescenti giapponesi. Come ci si poteva aspettare, alcune pellicole Xiao/i-Zone erano dotate di una banda adesiva e di bordi dai motivi colorati. Un'edizione speciale della pellicola visualizzava un messaggio, simile a quello dei biscotti della fortuna, che svaniva al completamento dello sviluppo.

La fotocamera Tomy Xiao fu un successo immediato e dopo pochi mesi Polaroid distribuì a livello mondiale la i-Zone. La fotocamera deriva il proprio nome dalla frase *Internet generation*. La sezione marketing di Polaroid inventò uno scanner i-Zone portatile collegato a un sito web dedicato, in cui c'erano un forum, una stanza per le chat, profili e la possibilità di condividere le foto i-Zone digitalizzate. Nel 2001 uscì la fotocamera i-Zone Combo, dotata sia di pellicola analogica sia di sensore digitale, che però produceva immagini di risoluzione molto bassa, solo 0,3MP.

Nel corso degli anni, fino a quando la serie i-Zone fu dismessa assieme a tutti gli altri formati Polaroid (2006), fu venduto un flusso continuo di allegre e spensierate fotocamere. Apparirono edizioni limitate e corpi in vari stili, con caratteristiche come fasce *clip-on* intercambiabili e perfino una radio con cuffie. Il formato i-Zone è uno di quelli più collezionati, ma le fotocamere hanno caratteristiche limitate: hanno solo tre impostazioni del diaframma, richiedono batterie per il funzionamento e sfornano immagini molto piccole. Sebbene la fotocamera originale sia rimasta sugli scaffali, fu messa sul mercato una nuova versione della Tomy Xiao che accettava la carta termica ZINK e la "nuova" Polaroid ha spolverato il nome i-Zone con la propria microfotocamera digitale da 18MP rilasciata nel 2016.

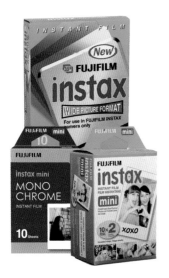

Fuji Instax e altre fotocamere istantanee

Nel periodo tra il 2009, data dell'ultima scadenza delle pellicole Polaroid, e il lancio di Impossible nel 2016, Fuji sarebbe diventato l'unico produttore a livello mondiale di pellicole istantanee in ogni formato. Dopo diversi anni di taglio dell'inventario dei prodotti analogici, nel 2016 Fuji pose fine del tutto alla produzione delle pellicole, scegliendo di concentrarsi completamente sui popolari prodotti Instax.

Pellicole

Le pellicole istantanee Fuji Instax sono l'unica alternativa a quelle di Impossible Project, ma non sono compatibili con le fotocamere Polaroid originali SX-70 (pp. 44-56), 600 (pp. 58-63) e Spectra (pp. 66-71). È il più universale di tutti i prodotti per la fotografia istantanea e il modo più economico per entrare nel mondo di questo genere fotografico. Le pellicole Fuji Instax inizialmente erano compatibili solo con le fotocamere Fuji, ma ora compagnie come Lomo, Leica e MiNT producono modelli di macchine compatibili. Fuji ha realizzato anche una stampante portatile con cui è possibile colmare il divario tra analogico e digitale. È in vendita persino un accessorio dedicato, un dorso, da utilizzare con le diffuse fotocamere Diana+, Lomo'LC-A+ e Belair (tutte vendute da Lomo).

Le pellicole Instax sono disponibili in tre dimensioni: Instax Mini (54x86 mm, area immagine di 46x62 mm), Wide (86x108 mm, area immagine di 99x62 mm) e Square (86x72 mm, area immagine di 62x62 mm). La Instax Wide è disponibile solo a colori, mentre le Mini e Square sono sia a colori sia monocromatiche. Tutte hanno una sensibilità di 800 ISO.

Le pellicole Instax e le fotocamere compatibili sono molto intuitive e facili da usare. Tuttavia c'è un inghippo. La struttura del foglio di pellicola rende impossibili molte tecniche creative.

Fotocamere Fuji Instax Wide

La prima Fuji Instax del formato Wide, la Instax 100, fu introdotta nel 1999. La più recente è la Instax Wide 300. I modelli di questa gamma sono economici e facili da usare. La fotocamera ha la vite per il treppiede, la compensazione dell'esposizione e il flash. Rispetto alle altre ha tempi di scatto più limitati, andando da 1/8 a 1/125. Gli aspetti negativi riguardano il mirino decentrato che rende difficile la messa a fuoco e l'andare alla distanza predefinita di messa a fuoco close-up (0,9-3 m) quando la macchina viene accesa, dando foto sfocate.

C'è stato solo un modello Instax Wide con sistema autofocus, la Instax 500AF, uscita nel 1999. Può essere considerata la fotocamera Fuji Instax Wide con costi di consumo più bassi, in quanto capita meno frequentemente di rovinare foto per una messa a fuoco sbagliata.

Fotocamere Fuji Instax Mini

La prima pellicola Fuji Instax Mini fu prodotta nel 1998. Le fotocamere Mini-compatibili rappresentano la maggiore fetta della produzione di macchine istantanee di Fuji. In gran parte i modelli pre 2008 condividono le stesse caratteristiche e sono molto semplici; tutti hanno obiettivi simili che vanno da 60mm f.12 a 60mm f.12,7 (attuale generazione). Fino al 2013, quando fu introdotta la Mini 90, tutti i modelli Instax avevano una velocità dell'otturatore o di 1/30-1/400 di secondo o di 1/60-1/400. Tra i modelli più vecchi ci sono la Instax Mini 7S (fascia bassa), la Instax Mini 25 (fascia media) e la Instax Mini 50S (top di gamma). La 50S ha tre caratteristiche aggiuntive: la vite per il treppiede, l'autoscatto e la funzione che esegue due autoscatti in rapida successione (utile per selfie di gruppo in cui sono spesso necessari due scatti consecutivi). Sia la 25 sia la 50S hanno un accessorio close-up che permette di mettere a fuoco da 30 cm in avanti. Fuji ha in produzione tre varianti della Instax Mini: Mini 8, 70 e 9 NeoClassic.

L'economica Mini 8 con la modalità espositiva Hi-Key, che fornisce immagini più chiare nel complesso, è un miglioramento dei primi modelli. La Mini 70 è un aggiornamento della 50S e unisce le caratteristiche delle Mini 25 e 50S a quelle della Mini 8. Ha un pulsante specifico per la modalità Selfie e anche uno specchio. La modalità Selfie ottimizza tutte le impostazioni per scatti a distanza ravvicinata e adegua la potenza del flash (incluso il flash di riempimento). La Mini 9 NeoClassic è la più flessibile della gamma Mini range. Ha un pulsante specifico per la modalità Selfie e uno specchio. Tale modalità ottimizza

Nella pagina a fronte, dall'alto: confezioni di pellicole Fuji; Instax Wide 300; Instax 500AF; Instax Mini 50S. **Dall'alto:** Instax Mini 8; Instax Mini 70; Instax Mini 90 (NeoClassic). **A sinistra:** la Diana F+ con Instant Back+ e la fotocamera Belair equipaggiata con un dorso Instax wide.

tutte le impostazioni per scatti a distanza ravvicinata e adegua la potenza del flash (incluso il flash di riempimento). Essa ha anche una modalità macro, che permette di mettere a fuoco a una distanza minima di 30 cm. La Mini 9 NeoClassic è la più flessibile della gamma Mini e la più adatta alla fotografia creativa. È dotata di una modalità Bulb, che permette di fare esposizioni fino a 10 secondi, con tempi di esposizione automatica che vanno da 1,8 secondi a 1/400. La fotocamera ha anche una modalità per la doppia esposizione e una batteria ricaricabile al litio, con cui è possibile scattare più o meno un centinaio di foto prima di doverla ricaricare.

Leica
Leica è entrata nel mondo della fotografia istantanea nel 2016 con la fotocamera Sofort. Questa costosa "punta e scatta" tipo Instax ha caratteristiche come le modalità Automatico, Selfie, Macro (da 30 cm), Sport e Azione, Feste e Persone, doppia esposizione, oltre a funzioni come l'autoscatto, la compensazione dell'esposizione, un flash disattivabile, la posa B per lunghe esposizioni, la riduzione occhi rossi e una batteria ricaricabile agli ioni di litio. Purtroppo ha pochi controlli manuali.

Lomo
Lomo produce due fotocamere Instax Mini compatibili: la Lomo Instant e il modello dal look vintage Instant Automat. In entrambe la messa a fuoco è manuale, con tre zone tra cui scegliere, come nei primi modelli Instax di Fuji. È presente uno specchio per controllare la composizione dei selfie.

La Lomo Instant ha un obiettivo grandangolare da 27mm e un tempo di scatto fisso a 1/125, ma anche la posa *bulb* e la possibilità di eseguire un numero illimitato di esposizioni multiple (MX). Il diaframma è automatico e va da f.8 a f.32, ma è possibile compensare l'esposizione con l'apposito selettore.

L'equivalente modello automatico, la Instant Automat, ha un obiettivo da 60mm e, oltre a tutte le modalità creative della Instant, usufruisce di un sistema di esposizione automatica notevolmente migliorato che lavora anche con il flash disattivato. I tempi di scatto automatici vanno da 1/8 a 1/250 di secondo, ma c'è la posa B (max 30 secondi) o una modalità a tempo fisso di 1/60. Il diaframma ha le stesse caratteristiche di quello della Lomo Instant.

Entrambe le macchine hanno la vite per il treppiede e la connessione per lo scatto a distanza, ma il tappo copriobiettivo della Automat funziona anche come scatto a distanza fino a 5 m! Inoltre, sono compatibili con il Lomo Splitzer (che divide in due l'inquadratura fondendo due immagini, una in alto e una in basso) o con i diversi obiettivi aggiuntivi, close-up, *fisheye* o ritratto/grandangolare (che, a seconda del tipo di Lomo Instant, sono venduti in kit).

Lomo produce anche la Lomo Instant Wide, la migliore compatibile con le pellicole Fuji Instax Wide, che ha caratteristiche simili a quelle della Automat, ma con solo due aperture di diaframma, f.8 o f.22. Oltre alla presa PC-Sync per i flash da studio, la Wide è compatibile con gli obiettivi accessori.

Dall'alto: Leica Sofort. Lomo Instant. Lomo Instant Automat. Lomo Instant Wide. Obiettivi Lomo Instant: close-up, ritratto e fisheye.

MiNT

MiNT ha creato l'unica fotocamera TLR (reflex con doppio obiettivo) compatibile con le pellicole Instax Mini, la InstantFlex TL70, che sembra una Rolleiflex in miniatura. Il corpo macchina è in metallo e plastica ed è dotato di un obiettivo da 61mm con tre elementi in vetro che ha una distanza minima di messa a fuoco pari a 48 cm (18"). È la più manuale tra le fotocamere Instax, l'unica che offre la modalità a priorità di diaframma e la messa a fuoco manuale. Inoltre, ha un indicatore di esposizione che avvisa se il diaframma impostato è compatibile con il tempo di esposizione (da 1/500 a 1 secondo). Il flash, dotato dell'opzione on/off, è nascosto dietro la piastrina con il nome della macchina. C'è anche la compensazione dell'esposizione che permette di ottenere immagini *low-key* o *hi-key*. Dotata di vite per il treppiede e del tempo di posa B, che permette di fare esposizioni fino a 10 secondi. Innovativo il selettore "f/bokeh", che offre un'apertura non circolare per bellissimi effetti di luce nelle foto notturne. È possibile scattare quante esposizioni multiple si desidera e scegliere il momento in cui espellere la pellicola.

Per aumentare le capacità creative, MiNT offre anche un set di lenti che include quella per i close-up (distanza minima di messa a fuoco 18 cm), il paraluce per evitare riflessi indesiderati e filtri ND2, ND-4 e ND8. La fotocamera vale ogni centesimo del suo prezzo, non propriamente contenuto.

"Nuove" fotocamere Polaroid

Nessuna lista di fotocamere non Polaroid sarebbe completa senza un accenno alle "nuove" fotocamere Polaroid: la PIC-300 e le relative pellicole PIF-300. Si tratta di prodotti Fuji Instax Mini rimarchiati (la PIC-300 è in effetti una Fuji Instax Mini 7S ed è compatibile con le pellicole Instax Mini).

Dall'alto: set di lenti Lomo Instant Wide. Una Fuji Instax 7S rimarchiata e pellicola Polaroid Mio. Confezione del set di lenti per MiNT TL70.
A sinistra: MiNT InstantFlex TL70 2.0.

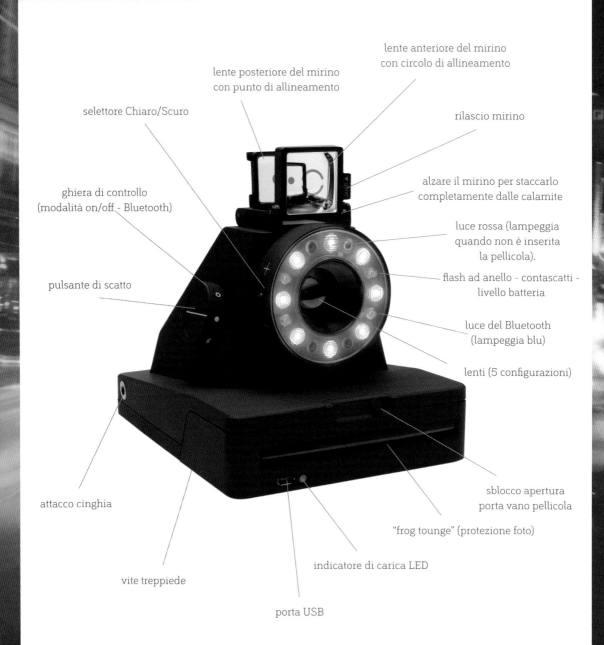

lente anteriore del mirino
con circolo di allineamento

lente posteriore del mirino
con punto di allineamento

selettore Chiaro/Scuro

rilascio mirino

ghiera di controllo
(modalità on/off - Bluetooth)

alzare il mirino per staccarlo
completamente dalle calamite

luce rossa (lampeggia
quando non è inserita
la pellicola).

pulsante di scatto

flash ad anello - contascatti -
livello batteria

luce del Bluetooth
(lampeggia blu)

lenti (5 configurazioni)

attacco cinghia

sblocco apertura
porta vano pellicola

"frog tounge" (protezione foto)

indicatore di carica LED

vite treppiede

porta USB

Impossible I-1

Il 2016 ha visto la nascita della prima fotocamera di Impossible Project, la I-1, parte del sistema Impossible I-Type. È la prima fotocamera completamente nuova studiata per un formato originale Polaroid dai tempi del sistema i-Zone (p. 75).

La I-1 accetta pellicole 600 e, quando usata in modalità manuale e MF, anche le SX-70 (pp. 44-56), oltre alle nuove pellicole i-Type. Queste ultime sono leggermente meno costose, in quanto prive di batteria. Come l'Instant Lab (p. 72), la I-1 è da tenere sempre in carica.

La I-1 è più leggera della SX-70, con i suoi 440 g, e molto semplice da usare, con una varietà di modalità di scatto.

La I-1 è a tutti gli effetti una fotocamera analogica per l'era digitale, con app integrate (per iOS e Android) e connettività Bluetooth. Sono previsti aggiornamenti delle app e del *firmware* destinati ad ampliare le funzioni della macchina. Il *digital crossover* è ciò che rende appetibile questa fotocamera, visto che grazie alle app gran parte delle funzioni possono essere controllate anche manualmente, caratteristica perfetta per le tecniche creative.

Tuttavia la I-1 non è ancora perfetta: manca infatti di una vera e propria messa a fuoco, ma è aperta a futuri miglioramenti, come, d'altra parte, le fotocamere di Edwin Land, che spesso rappresentavano passaggi intermedi verso il perfetto sistema istantaneo. Per ora, i vantaggi superano di molto gli svantaggi e la I-1 è la più avanzata tecnicamente e flessibile fotocamera per pellicole 600 (pp. 58-63) finora realizzata.

Dall'alto: scatti di Ray Liu eseguiti con una I-1 impostata manualmente. Le ultime due foto sono delle lunghe esposizioni combinate con esposizioni normali usando la modalità Esposizione multipla.

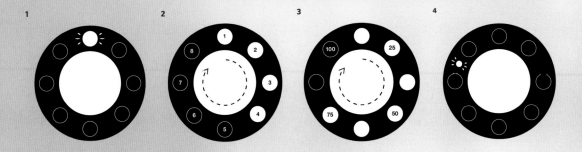

Guida per l'utente

La fotocamera Impossible I-1 è soggetta a prossimi aggiornamenti. Sebbene questi riguarderanno il firmware, potrebbero esserci delle modifiche nell'interfaccia.
Queste informazioni sono aggiornate al momento della stampa.

Ghiera di controllo

Sulla destra della macchina si trova il pulsante di scatto con la ghiera di controllo delle modalità. Girandola in senso antiorario di uno scatto accendiamo la fotocamera in modalità autofocus e autoesposizione. Con un secondo scatto attiviamo la connettività remota con Bluetooth attraverso le app (accesso alle funzioni delle app e alla modalità manuale). Un LED blu si accende durante la connessione.

Al centro di questa ghiera c'è il pulsante di scatto, che ha due posizioni: a metà corsa manda un raggio infrarosso al soggetto per determinarne la distanza. In modalità automatica questo informa la fotocamera su quale obiettivo usare. Premendo a fondo il pulsante viene ripresa la foto, che poco dopo verrà espulsa. L'autofocus lavora da ca. 30 cm all'infinito.

In modalità manuale tutto è controllato dall'app, sono scavalcati anche lo scatto e le funzioni hardware. Gli obiettivi vengono scelti dall'utente e l'app invia allo schermo le informazioni sulla distanza del soggetto rilevate con il raggio IR, o se le impostazioni dell'esposizione sono appropriate per la scena che si vuole fotografare.

Selettore Chiaro/Scuro

Come nelle Polaroid originali, permette di modificare l'esposizione (in questa fotocamera di uno stop). Utilizzabile solo in modalità Auto.

Flash

La Impossible I-1 è la prima fotocamera istantanea con flash ad anello. Questo è formato da dodici LED disposti in cerchio: sette bianchi, uno rosso (per un range più ampio) e quattro LED diffusori. Quando scattiamo con il flash, si accendono tutti i LED. La fotocamera è indicata per i ritratti. Il flash ad anello minimizza il problema degli occhi rossi.

Con il pulsante sul lato sinistro dell'obiettivo possiamo disattivare il flash, mentre con l'app possiamo anche regolarne la potenza. Attualmente il sistema flash non è in grado di lavorare con flash esterni *slave*, tuttavia, in futuro, potrebbe uscire un adattatore.

Contascatti/ Indicatore batteria

I LED del flash funzionano anche come contascatti e indicatori del livello della batteria. Quando accendiamo la fotocamera si illumina un LED bianco per ogni scatto rimasto. Se lampeggia un solo LED, la cartuccia è vuota.

Premendo il pulsante di scatto con la fotocamera spenta, i LED funzionano come indicatori del livello di carica. Più LED si accendono, più è carica la batteria. Possiamo controllare il livello anche attraverso l'app. Quando la batteria è quasi scarica, un piccolo LED rosso lampeggia nella parte inferiore destra della fotocamera.

Questo significa che non c'è abbastanza carica per far funzionare il flash, ma Impossible ha calibrato il

5   6   7

tutto in modo che la macchina possa essere usata in modalità flash off. Non è possibile alimentare la fotocamera attraverso la batteria di una cartuccia, anche se usiamo una pellicola Impossible 600.

Lenti e messa a fuoco

Ci sono sei lenti in totale e quando non è in modalità manuale la fotocamera passa da una all'altra automaticamente. Queste lenti permettono di avere cinque configurazioni e una gamma focale che va da 82 a 109 mm, con un angolo visivo di 41°.

Lente 3 è la configurazione standard, la più duttile. In piena luce la fotocamera spesso sceglie questa configurazione e compensa con un diaframma più chiuso. Posiamo preferirla anche in modalità manuale. Questa configurazione soffre di una leggera degradazione quando ci spostiamo dal suo punto di messa a fuoco ottimale.

Con la I-1 può essere difficile inquadrare e mettere a fuoco accuratamente. L'area autofocus è piccola e favorisce il "punto morto". Nel mirino, l'area autofocus è segnata da un punto e un cerchio diviso, stampati sui due pannelli di vetro; questi due devono allinearsi perfettamente.

Nella pagina a fianco: (1) Lampeggia quando non c'è pellicola. (2) Il numero di LED corrisponde a quello degli scatti rimasti. (3) Il numero di LED corrisponde alla carica della batteria. Con meno di tre il flash non va. (4) Quando lampeggia il LED blu, la macchina si sta connettendo con uno smartphone tramite il Bluetooth.

In alto: Ritratti che illustrano le zone di messa a fuoco: macro scattata con lenti 1 (5), close-up con lenti 2 (6), e il terzo fatto con lenti 3 (7).

Una volta messo a fuoco il soggetto, teniamo premuto a metà corsa il pulsante di scatto se abbiamo bisogno di ricomporre l'inquadratura, come quando si vuole mettere il soggetto a destra o a sinistra rispetto al centro dell'immagine. Oppure mettiamo a fuoco su un oggetto posto alla stessa distanza del soggetto.

Il raggio IR dell'autofocus lavora su cinque zone. Ogni lente ha un'area dove la nitidezza è massima, sebbene ci sia un po' di tolleranza ai suoi lati. L'accuratezza della messa a fuoco diminuisce rapidamente quando ci allontaniamo dalla distanza ideale di ogni lente, soprattutto in luce scarsa, dove il diaframma è molto aperto. Teniamo presente ciò quando usiamo la messa a fuoco manuale.

Per essere sicuri di avere immagini a fuoco seguiamo i consigli:

Lente 1: Macro (0,3-0,5 m). Ottimo a 40 cm (16"). Ritratti viso e testa e spalle. Richiede correzione del parallasse (vedi Risoluzione dei problemi).

Lente 2: Close-up (0,5-1 m). Ottimo a 80 cm (32"). Ritratti mezzobusto/selfie. Richiede correzione del parallasse.

Lente 3: Campo prossimo (1-2,2 m). Ottima tra 1,5 e 1,8 m (5-6 ft). Ritratti piccoli gruppi (5-6 persone). Alla minima distanza può essere necessaria la correzione del parallasse.

Lente 4: Campo medio (2,2-4,5 m). Ottimo a 3,3-3,5 m (10-11 ft). Foto di gruppo molte persone.

Lente 5: Campo lungo (distanza 4,5-infinito). Ottimo a circa 6 m (18,2 ft). Paesaggi.

Funzioni dell'app

Scanner

La funzione scanner era già presente nell'app dell'Istant Lab di Impossible. Questa funzione utilizza uno strumento di ritaglio per correggere il fenomeno del parallasse ed eliminare i riflessi dalla superficie delle istantanee **(8)**. Una volta scansionata l'istantanea, possiamo aggiungere i dati di scatto in modo da poterli replicare in qualsiasi momento.

Color paint

Con l'app I-1 possiamo usare lo schermo dello smartphone come una fonte di colori per attuare la tecnica Color Paint **(9)**. Visti i tempi di scatto molto lunghi, dobbiamo usare un treppiede o appoggiare la fotocamera su una superficie stabile.

Tramite l'app possiamo selezionare sul display del telefono diversi colori di partenza e cambiarli anche mentre lo usiamo.

Una volta avviata la funzione Color Paint, teniamo premuto il pulsante di scatto e muoviamo lo smartphone, con lo schermo rivolto verso l'obiettivo. Controlliamo sullo schermo il tempo di esposizione e premiamo di nuovo il pulsante di scatto quando abbiamo finito. Ricordiamoci di aumentare sul telefono la luminosità del display in modo da ottenere risultati più efficaci.

Light Paint

La tecnica del *light painting* verrà trattata ampiamente nella seconda parte del libro (pp. 126-129). Con la I-1, come con le fotocamere film pack manuali, non c'è bisogno di accorgimenti per tenere premuto il pulsante di scatto. Come per la tecnica *color painting*, l'app utilizza lo smartphone come torcia, impostando la luce del flash in modo che risulti bianca. Questo è particolarmente utile se usiamo pellicole in bianco e nero per evitare che la luce crei dominanti di colore indesiderate. Premiamo il pulsante di scatto giallo che c'è sul display del telefono per iniziare e poi, di nuovo, per terminare e far espellere la foto all'apparecchio.

Noise Trigger

Con questa funzione possiamo attivare lo scatto tramite un rumore, quando il tempismo è fondamentale per ottenere la foto desiderata, come riprendere la partenza di una gara. Con il cursore sullo schermo dello smartphone regoliamo

8

9

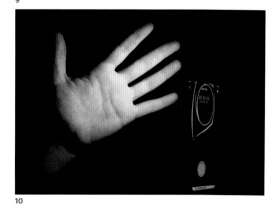

10

Dall'alto: modalità Scanner in azione. Effetto colour painting; può essere usato per creare arcobaleni con le scie luminose. La funzione Light Painting imposta automaticamente l'opzione lente 3 (attenzioni: i soggetti macro non saranno sempre nitidi).

la sensibilità al rumore e poi premiamo il pulsante di scatto sul display. La fotocamera azionerà l'otturatore solo quando un rumore supererà la soglia impostata. In questa modalità possiamo attivare o no il flash e regolare il controllo Chiaro/Scuro.

Double Exposure

Con questa funzione l'app blocca l'espulsione della foto dopo la prima esposizione. Premiamo di nuovo il pulsante di scatto per esporre una seconda volta la pellicola e sovrapporre un'altra immagine alla prima. Alla fine la foto verrà espulsa dalla fotocamera. Con questa funzione possiamo regolare il flash su ON oppure su OFF e regolare il controllo Chiaro/Scuro.

Fino a quando Impossible non aggiornerà questa funzione ecco un trucco per poter fare più di due esposizioni su una pellicola:

1. Riduciamo l'EV, mettendo il selettore Chiaro/ Scuro sul meno.
2. Attiviamo la funzione Double Exposure e facciamo la prima esposizione.
3. Spegniamo la fotocamera e l'app. In questo modo la macchina "si dimentica" di aver fatto il primo scatto.
4. Riaccendiamo la fotocamera e lanciamo di nuovo l'app, quindi facciamo ancora la "prima" esposizione. Ripetiamo il procedimento tante volte quante sono le esposizioni che vogliamo sommare. Per l'ultima usiamo il pulsante di scatto della fotocamera per far espellere la foto.

Per fare delle esposizioni multiple in modalità manuale dovremo aspettare un aggiornamento, ma questa scorciatoia ibrida auto/manuale permette di farle anche ora. Seguiamo il procedimento qui sopra per la prima esposizione, quindi riaccediamo all'app per fare la seconda in modalità manuale. Naturalmente possiamo seguire il metodo per le esposizioni multiple delle pp. 108-113.

Self Timer

La funzione Self Timer permette di scegliere tra autoscatti ritardati di 5, 10 o 20 secondi. Potendo azionare il pulsante di scatto tramite lo smartphone abbiamo modo di metterci in posizione prima di attivare l'autoscatto. Ricordiamoci, però, di nascondere il telefono per evitare che appaia in foto. Anche in questa modalità possiamo usare i controlli del flash e dell'esposizione (selettore Chiaro/Scuro).

Manual Mode

Questa funzione è il solo modo per lavorare con la fotocamera in modalità manuale. Possiamo regolare il diaframma, il tempo di posa, la potenza del flash e la messa a fuoco gestendo personalmente lo scatto.

Per prima cosa scegliamo con quale opzione di lenti scattare, grazie alla ghiera sulla schermata dell'app. Una seconda ghiera virtuale permette di impostare una delle tre intensità del flash o di spegnerlo. Ci sono otto aperture del diaframma controllate da un cursore, da f.10 a f.67, mentre un altro cursore regola i tempi di posa da 1/250 a 30 secondi.

Mentre gestiamo le impostazioni vedremo il cerchio sulla scala dell'esposizione muoversi a destra e a sinistra in base alla lettura dell'esposimetro. Quando le impostazioni sono corrette per la scena inquadrata, il cerchio si posiziona al centro della scala orizzontale.

Remote Trigger

Questa funzione replica quelle di uno scatto remoto. È perfetta per riprendere una scena senza essere notati oppure per evitare il micromosso mentre facciamo una lunga esposizione.

Le diverse funzioni dell'app I-1.

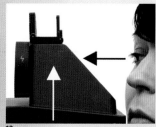

11

12

13

14

Risoluzione dei problemi

Inquadratura/Messa a fuoco

La I-1 non è una fotocamera SLR come le SX-70 o le 600 e non ha un mirino chiuso, come invece i modelli box type. Con la I-1 è difficile mettere a fuoco accuratamente, perché il mirino funziona bene quando si trova a più o meno 5 cm (2") dall'occhio e questo rende difficile riuscire a inquadrare nel modo corretto.

Per una buona messa a fuoco il punto sul vetro posteriore deve essere perfettamente dentro al cerchio su quello anteriore. Iniziamo tenendo la fotocamera a circa 20 cm (8") dal viso **(11)** e allineiamo il punto con il cerchio, quindi avviciniamo lentamente la macchina all'occhio. Il soggetto deve riempire almeno il 70% dell'area del mirino affinché la messa a fuoco funzioni.

Dato che il mirino si trova più in alto dell'obiettivo, l'immagine riflessa dal soggetto che arriva alla lente viaggia su un piano diverso da quella che arriva al mirino. Questo dà foto con il soggetto inquadrato diversamente da come lo vediamo dal mirino, soprattutto quando scattiamo a distanza ravvicinata. Per correggere l'errore di parallasse descritto sopra è necessario ricomporre l'immagine dopo aver acquisito la messa a fuoco: solleviamo la fotocamera verticalmente di qualche centimetro facendo attenzione a mantenere l'obiettivo sempre sullo stesso piano **(12)**.

Vita della batteria

Con una carica è possibile usare fino a venti film pack di seguito. La batteria perfettamente carica di una fotocamera lasciata inutilizzata per diversi giorni potrebbe risultare scarica. In modalità standby il condensatore del flash continua ad assorbire corrente e questo alla lunga scarica la batteria.

La fotocamera non ha la possibilità di essere collegata a una presa di corrente AC e la ricarica tramite il computer è molto lenta. La soluzione è quella di collegare il cavo USB a una spina USB di quelle che si utilizzano per caricare i cellulari **(13)**. Quando siamo fuori, possiamo usare anche *battery pack* USB ricaricabili.

Flash

Quando la carica della batteria è bassa, il flash smette di funzionare. La fotocamera, invece, continua a funzionare senza flash fino a quando la batteria è completamente scarica.

Reset

Se la fotocamera si comporta in modo bizzarro, non si carica o non si accende, può essere necessario resettare il microprocessore:

1. Se possibile carichiamo la batteria per almeno 1-2 ore.
2. Assicuriamoci che la fotocamera sia spenta.
3. Apriamo lo sportello della pellicola e cerchiamo, sul corpo macchina, vicino alla chiusura della porta, il piccolo pulsante a rientranza **(14)**.
4. Prendiamo uno strumento sottile (una penna a sfera) e teniamo premuto il pulsante per circa 20 secondi.
5. Rilasciato il pulsante, chiudiamo lo sportello e accendiamo la fotocamera, che ora dovrebbe comportarsi correttamente.

Scattare con Impossible Film

Le pellicole Impossible sono ancora in fase di sviluppo e per questo non c'è molta uniformità. La sensibilità ISO/ASA varia a seconda del tipo di pellicola e anche delle cartucce. Le pellicole in bianco e nero hanno una sensibilità dichiarata di 160 ASA, mentre quelle a colori di 640 ASA, ma dobbiamo aspettarci uno scostamento di circa 1/3 di stop. Le pellicole in bianco e nero si sviluppano più velocemente di quelle a colori ed è possibile avere un'idea della riuscita dello scatto già dopo un paio di minuti. Le pellicole a colori impiegano fra i 20 e i 30 minuti per completare lo sviluppo.

Conservazione delle pellicole
Teniamole al freddo, nel frigorifero se possibile, e distese, non in piedi. Assicuriamoci che non gelino, altrimenti la sacca dei reagenti potrebbe scoppiare. Prima dell'utilizzo lasciamo le pellicole a temperatura ambiente. Temperature estreme, calde o fredde, provocano una perdita di contrasto e un cambiamento dei colori nella foto. Quando scattiamo all'esterno con temperature basse, teniamo la foto vicino al corpo per mantenerla calda. Se siamo in un ambiente molto caldo, cerchiamo di tenerla al fresco.

Dopo l'esposizione
Le pellicole Impossible sono ancora sensibili alla luce dopo che sono uscite dalla fotocamera, soprattutto quando hanno ancora l'aspetto bluastro. Teniamo le foto al riparo dalla luce durante lo sviluppo

Archiviazione
A volte le pellicole Impossible non si asciugano correttamente e questo può causare un degrado della foto nel tempo. Nei climi umidi conserviamo le foto in una scatola a tenuta stagna, con delle bustine di gel di silice per circa sei mesi, prima di trasferirle in un luogo asciutto e fresco con adeguata circolazione d'aria, per evitare che l'emulsione si crepi.

Dall'alto: confezioni di pellicole Impossible. Gel di silice per assorbire umidità. Una foto Impossible conservata male: presenta una decolorazione e una perdita di qualità.

Come
Scansionare

Per una buona scansione, disattiviamo qualsiasi correzione della retroilluminazione, autoesposizione, eliminazione di polvere, graffi e filtri per aumentare la nitidezza. Regoliamo i parametri in modo che l'immagine sullo schermo sia il più possibile simile alla foto stampata.

Quando si acquisiscono pellicole autosviluppanti, soprattutto quelle di Impossible, ci sarà il problema degli anelli di Newton a causa del diverso strato di plastica. Questo effetto si presenta sotto forma di bande multicolorate curvilinee ed è dovuto al riflesso della luce tra la superficie della foto e il vetro dello scanner quando vengono in contatto. Questo effetto si evidenzia soprattutto in caso di ingrandimenti e dopo che il vetro dello scanner è stato pulito.

Per risolvere il problema Impossible aveva realizzato un adattatore per pellicole 600 (pp. 58-63), SX-70 (pp. 44-56) e Spectra (pp. 66-71). Si tratta di una cornice acrilica dotata di adesivi riutilizzabili che si fissano al dorso delle foto tenendole staccate di un millimetro dal vetro dello scanner.

Impossible attualmente non produce più questo adattatore, quindi l'unica soluzione è quella di realizzarlo personalmente. Per farlo è sufficiente ritagliare da un foglio di cartoncino rigido, spesso 2 mm, dei rettangoli di 1-2 mm più piccoli delle foto. Posizioniamo le foto a faccia in giù nelle cornici e fermiamole con del nastro adesivo sul retro, quindi mettiamole sul vetro dello scanner e procediamo all'acquisizione. Lo spessore del cartoncino non influisce sulla nitidezza del risultato, soprattutto se non si ingrandisce l'immagine ottenuta, e si evita la formazione degli anelli di Newton.

Per eliminare polvere e graffi dalle foto acquisite utilizziamo il Timbro clone di Photoshop.

Negativi/Inversione

Possiamo creare con lo scanner delle bellissime immagini partendo dai negativi delle pellicole 665, 55, 51 o New 55 (pp. 182-185) dopo averli puliti.

Per una perfetta scansione di un negativo utilizziamo uno scanner per pellicole. Nel software dello scanner assicuriamoci di selezionare l'opzione per negativi/diapositive e non la classica modalità per le immagini stampate. Questo fa sì che lo scanner inverta i colori. Se non abbiamo un accessorio per le pellicole in cui possano stare i negativi Polaroid, incolliamo i bordi di questi allo scanner in modo che non si muovano, rimanendo perfettamente distesi e piani.

Adattatore Impossible per scanner.

Nota

Non è possibile pulire il negativo Polaroid a colori prima di acquisirlo con lo scanner. Possiamo scansionare il lato negativo di una pellicola peel-apart, ma assicuriamoci di scansionarlo come positivo, quindi invertiamo l'immagine ottenuta in Photoshop anziché usare i predefiniti dello scanner. Se il software ha una modalità professionale usiamola per sbloccare tutte le opzioni.

In alto e a destra: due belle immagini di mongolfiere realizzate da Daniel Meade scansionando negativi asciutti di pellicole a colori Polaroid peel-apart. I negativi, dopo essere stati bagnati, sono stati messi direttamente sul vetro dello scanner. **Al centro, a destra:** scansione parzialmente schiarita da negativo di Nwe55, di Thomas Zamolo.

Parte 2
Tecniche creative

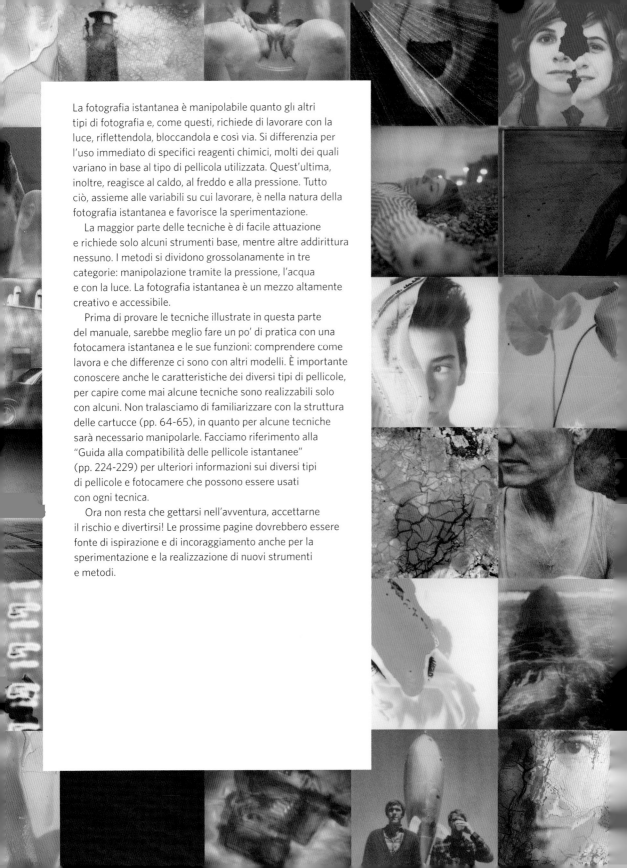

La fotografia istantanea è manipolabile quanto gli altri tipi di fotografia e, come questi, richiede di lavorare con la luce, riflettendola, bloccandola e così via. Si differenzia per l'uso immediato di specifici reagenti chimici, molti dei quali variano in base al tipo di pellicola utilizzata. Quest'ultima, inoltre, reagisce al caldo, al freddo e alla pressione. Tutto ciò, assieme alle variabili su cui lavorare, è nella natura della fotografia istantanea e favorisce la sperimentazione.

La maggior parte delle tecniche è di facile attuazione e richiede solo alcuni strumenti base, mentre altre addirittura nessuno. I metodi si dividono grossolanamente in tre categorie: manipolazione tramite la pressione, l'acqua e con la luce. La fotografia istantanea è un mezzo altamente creativo e accessibile.

Prima di provare le tecniche illustrate in questa parte del manuale, sarebbe meglio fare un po' di pratica con una fotocamera istantanea e le sue funzioni: comprendere come lavora e che differenze ci sono con altri modelli. È importante conoscere anche le caratteristiche dei diversi tipi di pellicole, per capire come mai alcune tecniche sono realizzabili solo con alcuni. Non tralasciamo di familiarizzare con la struttura delle cartucce (pp. 64-65), in quanto per alcune tecniche sarà necessario manipolarle. Facciamo riferimento alla "Guida alla compatibilità delle pellicole istantanee" (pp. 224-229) per ulteriori informazioni sui diversi tipi di pellicole e fotocamere che possono essere usati con ogni tecnica.

Ora non resta che gettarsi nell'avventura, accettarne il rischio e divertirsi! Le prossime pagine dovrebbero essere fonte di ispirazione e di incoraggiamento anche per la sperimentazione e la realizzazione di nuovi strumenti e metodi.

Transparency/Dry Lift

PELLICOLE Impossible
TEMPO 5 minuti
DIFFICOLTÀ Facile

Una delle migliori tecniche con cui iniziare è quella conosciuta come *transparency, peel* o *dry lift*. Questa tecnica per creare immagini semitrasparenti può essere utilizzata in combinazione con molte delle altre tecniche creative.

Le trasparenze si possono ottenere con quasi tutte le pellicole autosviluppanti Integral di Polaroid e Impossible, ma non con le Fuji Instax (pp. 224-229). Le immagini semitrasparenti che si ottengono possono essere retroilluminate, montate su supporti trasparenti oppure impilate una sull'altra a formare dei sandwich. Possono anche essere usate per creare stampe a contatto analogiche, inclusi fotogrammi su carta per *cyanotype* (tecnica Cyanotype, pp. 190-195).

Questo tutorial illustra come creare trasparenze da una pellicola Impossible. È meglio usare immagini completamente sviluppate da non oltre ventiquattr'ore.
Foto più vecchie rendono maggiormente difficile la separazione, in quanto l'emulsione dell'immagine indurisce con il tempo.

Materiali

- Foto Impossible recente
- Forbici
- Asciugacapelli

Metodo

1 Ritagliamo mezzo millimetro di bordo attorno a tutta la foto *(a)*, in modo che gli strati possano essere separati.

2 Impostiamo l'asciugacapelli su un calore medio e teniamolo a più di 10 cm dalla superficie della foto *(b)* per diffondere bene il calore senza provocare danni all'emulsione (bolle e lacerazioni).

3 Partendo da uno degli angoli superiori della foto, iniziamo a separare, lentamente e in modo continuo, il livello di plastica *(c)*.

Dovremmo riuscire facilmente a separare la parte anteriore dal fondo nero. Alcuni residui bianchi possono rimanere sul fondo e l'immagine potrebbe risultare attaccata alla finestra frontale. Nel primo caso, consultiamo la sezione "Risoluzione problemi".

4 Godiamoci il risultato *(d)* o passiamo allo step successivo, impilando diverse trasparenze oppure usandole per altre tecniche creative, come illustrato nel box "Andiamo avanti" nella pagina seguente.

Consigli

Mettiamo le nostre trasparenze fra due lastre di vetro, oppure in una cornice clip trasparente. Saranno fantastiche se illuminate da dietro.

Per conservare le immagini, pitturiamone il lato inferiore con una vernice spray trasparente anti UV e usiamo se possibile un vetro anti UV.

Possiamo creare trasparenze anche con pellicole autosviluppanti Polaroid scadute; i risultati, tuttavia, non sono un granché. Le rare pellicole Fade2Black devono essere separate per evitare perdita dell'immagine e creare bellissime trasparenze.

Risoluzione problemi

- Bolle/lacerazioni dell'immagine frontale? La causa è un'elevata temperatura dell'asciugacapelli.

- Viscosità bianche nell'area immagine della trasparenza? Fermiamo la separazione. La foto può essere stata poco scaldata oppure era troppo vecchia. Proviamo ancora a scaldarla delicatamente senza separarla. Le viscosità bianche dovrebbero ammorbidirsi e venire via da sole. In alternativa separiamo gli strati e aspettiamo che la foto si raffreddi, quindi rimuoviamo i residui bianchi con un pennello asciutto dalle setole morbide.
I residui secchi dovrebbero polverizzarsi o scrostarsi. Nelle zone più ostiche applichiamo acqua tiepida con un pennello e rimuoviamole delicatamente, stando lontani dai bordi della foto. Attenzione! Un eccesso d'acqua fa sollevare l'immagine dal pannello frontale.

Andiamo avanti

Usiamo le trasparenze per:

- *Cyanotype printing* (pp. 190-195)
- *Base per collage* (pp. 218-223)
- *Scratching and scoring* (pp. 160-161)
- *Conserviamo il fondo nero per creare un Impossible Negative* (pp. 178-181)

a b

c d

Nella pagina a fianco: Ritchard Ton, *Butterfly*. Realizzata con pellicola 600, emulsione scartata, lasciando solo la figura, quindi stratificata con emulsion lift.
In alto: Ritchard Ton, *Skater*, in cui i residui chimici sono stati rimossi e diverse foto sono state sovrapposte.

In alto: Penny Felts,
Rhiannon Adam, Juli Werner.
Al centro: Armanda Mason,
Ina Echternach.
A sinistra: Benjamin Innocent
(con Celina Wyss).

In alto: Nick Carn.
Al centro: Nick Carn, Bourgouin,
Sarah Seene.
A destra: Benjamin Innocent
(con Celina Wyss).

Pellicole Polaroid scadute

Tutte le pellicole Polaroid sono scadute da parecchio tempo. Usandole, avremo dei risultati inaspettatamente buoni, ma potrebbe capitare anche di lavorare con materiale non funzionante, quindi mettiamo in conto questa possibilità!

Le pellicole istantanee si basano sul fatto che i reagenti chimici siano fluidi, ma con il tempo potrebbero seccarsi. Le pellicole autosviluppanti hanno anche una batteria, che nel tempo si scarica. La fotocamera potrebbe lavorare più lentamente, con il risultato che si formano striature orizzontali sull'immagine dovute al movimento alterato dei rulli. Per evitare questi problemi, cerchiamo di acquistare pellicole il più recenti possibile.

In genere le pellicole autosviluppanti se la cavano meno bene delle loro controparti peel-apart. Le pellicole in fogli spesso si seccano più velocemente, perché sono avvolte in carta laminata, anziché in fogli di alluminio per far passare l'aria.

Se vogliamo usare le pellicole in fogli, togliamole dalla confezione e mettiamole in frigorifero, chiuse in un sacchetto da freezer, per conservarle. Quando compriamo delle pellicole, chiediamo al rivenditore come sono state conservate. Può sembrare superfluo, ma due pellicole con la stessa data di scadenza possono dare risultati assolutamente differenti in base a diverse modalità di conservazione.

Tutte le pellicole andrebbero tenute in frigorifero, in particolar modo le Polaroid scadute. Se ciò non fosse possibile, vanno messe non in piedi, in un ambiente umido.

Le pellicole peel-apart, soprattutto le Polaroid 669 (p. 225), sono più affidabili. Possiamo usare pellicole 669 vecchie di cinque anni e avere ancora buoni risultati. Queste pellicole possono essere manipolate in diversi modi. Nel tempo l'emulsione può diventare chiazzata e nella foto possono apparire macchie. Anche il contrasto e la resa dei colori possono alterarsi.

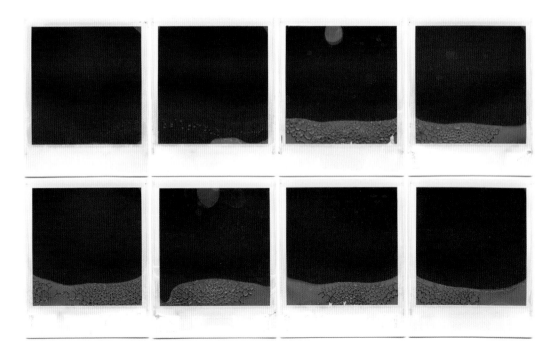

Nella pagina a fianco: un film pack di Polaroid SX-70 completamente secche.

In alto: pellicole Polaroid in film pack con resa dei colori e contrasto alterati appaiono macchiate e nebulose.

A sinistra: i film pack Polaroid scaduti spesso danno immagini con striature e macchie.

A destra: Dan Ryan accentua le caratteristiche imprevedibili dei film pack scaduti, sottoponendoli a stress fisici durante lo sviluppo. Macchie marroni come quelle sul lato destro della foto sono tipiche delle pellicole scadute: possiamo lavarle via dopo lo sviluppo o lasciarle se vogliamo accentuare l'aspetto invecchiato.

Solitamente non vale la pena di rischiare con pellicole Polaroid 600, Polaroid Spectra (nota anche come Image), 500 (nota anche come JoyCam), SX-70 Artistic TZ e SX-70 Blend (basata sull'emulsione delle pellicole), e i-Zone (p. 77). Per i formati 600, SX-70 e Spectra è meglio acquistare pellicole Impossible, che sono più affidabili rispetto alle originali Polaroid. Inoltre, le loro 600 e Spectra sono molto più manipolabili delle originali.

A destra: le pellicole Polaroid 600 e Spectra tendono a dare dei gialli brillanti e perdono quasi tutto il contrasto se sviluppati completamente, come si può vedere nell'autoritratto. Le uniche pellicole integrali scadute che, a volte, vale la pena acquistare, sono le SX-70, per le straordinarie possibilità di manipolazione e i bellissimi effetti ottenibili.

1

2

3

4

5

6

A sinistra: scatti con pellicole scadute di Toby Hancock **(1)**, Marion Lanciaux **(2)**, Dan Ryan **(3, 5)** e Rhiannon Adam **(4, 6)**. Le partite più recenti di pellicole SX-70 e Time Zero sono del 2007, anche se in quell'anno di produzione la chimica cambiò leggermente e le pellicole si sono conservate peggio nel tempo (risultando meno adatte alla manipolazione dell'emulsione), rispetto alle partite precedenti. Le pellicole in fogli sono più sottili e tendono a diventare molto scure. Spesso presentano zone marroni meno sviluppate di altre **(4)**. L'ultimo anno in cui fu utilizzata la formula originale è stato il 2006, perciò è meglio utilizzare pellicole risalenti ad allora anziché quelle del 2007. Possiamo riconoscere una foto fatta con pellicola SX-70 scaduta dalle caratteristiche striature gialle, dalle accentuate dominanti blu/ verdi e dall'occasionale punteggiatura di piccole macchie nere **(3)**. Questi non sono effetti della manipolazione, ma della normale esposizione di una pellicola scaduta.

Per creare questa immagine, Lanciaux ha messo una sopra l'altra diverse foto con ampie zone non sviluppate **(2)**, che sono del tutto prive di reagenti; quando l'immagine viene separata, la finestra pulisce completamente queste aree.

Nella pagina a fianco: ulteriori esempi di pellicole Time Zero/SX-70 scadute.

Scaduta da tre anni

Scaduta da cinque anni

Scaduta da sette anni

Scaduta da otto anni

Lunghe esposizioni

PELLICOLE Impossible/Polaroid integral
TEMPO 2-10 minuti
DIFFICOLTÀ Moderata

Scattare lunghe esposizioni con fotocamere peel-apart automatiche è molto facile, perché fanno tutto da sole. Anche con fotocamere film pack manuali (pp. 26-39) non è difficile misurare e usare un treppiede per ottenere delle lunghe esposizioni.

La nuova fotocamera Impossible I-1 ha la posa B, come pure le MiNT SLR 670-M e 670-S (p. 45), che permettono di scavalcare il tempo di esposizione automatico.

Le fotocamere integral, tuttavia, hanno un tempo di esposizione limitato: circa 2 minuti per le SX-70 e 0,25 secondi per le box-type 600. Se usiamo una di queste macchine dobbiamo interrompere la procedura di scatto tenendo aperto l'otturatore il tempo necessario a far entrare la luce che serve a esporre la pellicola. Questa tecnica è adatta a chi utilizza uno dei diversi milioni di apparecchi Polaroid venduti nel mondo.

Materiali

- Fotocamera Impossible/ Polaroid integral con vite per treppiede (o in alternativa usare del nastro adesivo per fissarlo alla fotocamera)

- Treppiede

- Pellicola compatibile

Optional

- Torcia a LED

- Fotocamera digitale SLR per conoscere i tempi di esposizione o un'app apposita

a

b

c

d

Metodo

1 Con la fotocamera sul treppiede mettiamo a fuoco il soggetto. Se questo è lontano, mettiamo a fuoco su infinito. Se è vicino ma troppo scuro per la messa a fuoco, illuminiamolo con una torcia per metterlo a fuoco correttamente.

2 Mettiamo un dito sull'apertura dell'electric eye, in modo che, per la fotocamera, stiamo scattando in un ambiente buio anche se in realtà siamo in pieno sole: così potremo usare questa tecnica in ogni condizione di luce **(a)**. In ambienti luminosi impostiamo la rotella Chiaro/Scuro su Scuro per evitare di sovraesporre.

3 Tenendo chiuso l'electric eye, premiamo il pulsante di scatto **(b)**. L'otturatore rimarrà aperto per tutto il tempo possibile e alla fine la foto verrà espulsa. Per esposizioni più lunghe passiamo al punto 4.

4 Per mantenere l'otturatore aperto per un tempo superiore a quello possibile, sblocchiamo lo sportello del vano portapellicola, sempre con l'electric eye chiuso. In tal modo spegniamo la fotocamera, evitando che la foto sia espulsa **(c)**. La macchina è bloccata in modalità espositiva. Teniamola così per il tempo necessario.

Se vogliamo ottenere una lunga esposizione in un ambiente dove sono presenti delle luci, come per esempio lungo una strada per riprendere le scie dei fari delle auto, è necessario coprire con una mano lo sportello del vano pellicola per evitare infiltrazioni di luce che possano rovinare le altre pellicole contenute nel film pack. Finita l'esposizione, chiudiamo lo sportello.

5 La foto non viene espulsa automaticamente, quindi premiamo il pulsante di scatto per espellerla. Per evitare che la pellicola venga esposta un'altra volta, mettiamo una mano davanti all'obiettivo **(d)** e teniamocela fino a quando sentiamo il rumore del motore della fotocamera. Possono volerci anche due minuti, in base al tempo massimo di esposizione della macchina e alle condizioni di luce. Una volta espulsa la foto, attendiamo il completamento dello sviluppo...

Why I Drove 400 Miles to Take a Polaroid, *di David Teter. Realizzata fuori Dathil, Nuovo Messico, con pellicola Polaroid 600 e fotocamera SLR-680.*

Consigli

Usiamo un esposimetro o una fotocamera digitale per stabilire il tempo di esposizione. Le pellicole 600 hanno una sensibilità dichiarata di 640 ISO, mentre le SX-70 di 160 ISO. La massima apertura di una SX-70 a soffietto è f.8, ed è selezionata automaticamente quando c'è poca luce. Su queste basi calcoliamo il tempo di esposizione. Se usiamo una fotocamera digitale, per stabilire l'esposizione ci saranno dei problemi di reciprocità, ma se è tutto quello che abbiamo, ci tornerà comunque utile.

Andiamo avanti

- Usiamo questa tecnica per catturare un singolo movimento nella scena. Per un'accurata cattura, muoviamoci molto lentamente.

- Dopo il punto 3, possiamo tenere la fotocamera chiusa e fare una seconda esposizione più tardi, anziché passare al punto 4.

- Se non copriamo l'obiettivo, come nel punto 4, possiamo invece fare una doppia esposizione.

In senso orario da sinistra in alto:
SF Said, scie di luci scattate con
pellicola Polaroid 600. Due scatti
di scie di luci fatti a Los Angeles da
Toby Hancock. *Griffith Observatory,
California*, di Toby Hancock. Jimmy
Lam, *Hong Kong at night* fatta con
pellicola Impossible PX70 e fotocamera
SX-70.

A destra: *South Bank, Londra*: questa
foto è stata esposta per quattro secondi
con una pellicola Impossible 600
e una fotocamera SLR 680.

Esposizioni multiple

PELLICOLE Qualsiasi
TEMPO 15 - 30 minuti
DIFFICOLTÀ Facile

La tecnica delle esposizioni multiple è una delle più gratificanti e con una Polaroid possiamo vederne subito i risultati. Con le fotocamere integral ("Guida alla compatibilità delle pellicole istantanee", pp. 224-229) dobbiamo evitare che venga espulsa la pellicola dopo la prima esposizione, ma se abbiamo anche un Instant Lab, questo non sarà necessario (pp. 72-73). Questo perché, quando una pellicola comincia a passare tra i rulli e inizia lo sviluppo, si forma uno strato opacizzante che protegge dalla luce gli strati sensibili.

Per poter fare una seconda esposizione, dobbiamo impedire che la fotocamera espella la foto dopo la prima e abbia inizio lo sviluppo. Ci sono diversi metodi per farlo e quello illustrato di seguito è uno dei migliori per tutte le fotocamere integral, compresa la Fuji Instax (p. 78). Il trucco sta nel creare una falsa pellicola con una finestra immagine trasparente e nel metterla in cima al film pack, in modo che venga espulsa al posto della foto esposta. Durante la prima esposizione la luce raggiunge la pellicola passando attraverso la finestra trasparente di quella falsa, che alla fine viene espulsa al posto di quella vera. La seconda esposizione, una volta eseguita, raggiunge la pellicola vera, che, trovandosi in cima alla pila, viene espulsa e sviluppata normalmente!

Per le fotocamere Spectra (pp. 66-71), troviamo una variante di questa procedura a p. 187, anche se quella illustrata qui può comunque essere utilizzata. Le false pellicole che abbiamo creato possono essere impiegate per altre tecniche di manipolazione, come il *filtering* e il *masking* (pp. 114-123).

Nota

Questo metodo può far inceppare la fotocamera, quindi meglio essere preparati per sbloccarla senza fare danni. Studiamo in anticipo la sezione "Risoluzione problemi" per il tipo di macchina che usiamo, e teniamo presente che la fotocamera che dà meno problemi con questa tecnica è la Spectra.

Materiali

- Una camera oscura o una *dark bag*
- Un film pack
- Alcune foto venute male
- Fogli di acetato
- Nastro adesivo trasparente
- Scalpello
- Fotocamera integral, preferibilmente una con il controllo Chiaro/Scuro

Note

Le batterie del film pack Impossible utilizzabili con le fotocamere 600, SX-70 e Spectra bastano per esporre una sola volta le pellicole in essi contenute. Sebbene queste batterie alla fine abbiano ancora una certa carica, non è detto che si riesca a fare delle doppie esposizioni con l'intero film pack. Questo non succede con le Fuji Instax, dal momento che non hanno una batteria interna.

Metodo

1 Prendiamo una foto venuta male.

2 Ritagliamo da questa la finestra immagine, stando 1 o 2 mm (⅛") più larghi di questa su tutti i lati **(b)**, così che, in caso di

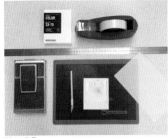

Materiali

a

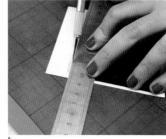

b

c

d

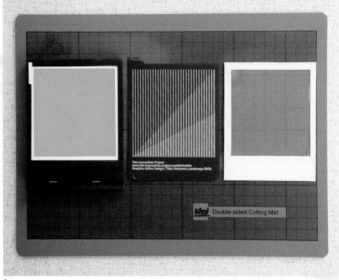

e

disallineamento degli strati, non rimangano zone di pellicola non esposte.

3 Ritagliamo due pezzi di acetato leggermente più larghi dell'apertura che abbiamo praticato **(c)**. Fermiamo il foglio di acetato alla cornice della foto, usando il nastro trasparente. Più il nastro è chiaro meglio è, in modo che non si veda nell'immagine finale.

4 Mettiamo il nastro sia davanti sia dietro alla cornice **(d)**, così che il foglio non corra il rischio di staccarsi durante la procedura.

5 Al riparo dalla luce (in camera oscura o nella dark bag), rimuoviamo la dark slide dalla cartuccia (film pack), in modo da poter inserire in questa la pellicola finta che abbiamo realizzato **(e)**. Guardiamo a p. 64 come cambiare le pellicole in un film pack.

6 Mettiamo la pellicola finta in cima a quelle contenute nel film pack **(f)**. Se stiamo usando un film pack Impossible nuovo, ci saranno già otto fogli di pellicola al suo interno, subito sotto la dark slide, quindi non ci sarà abbastanza spazio per la nostra pellicola falsa.

Consigli

Questa tecnica dà buoni risultati con soggetti dai margini definiti e zone di luce e d'ombra, come mostrato nell'immagine qui sotto, di Rommel Pecson.

f

g

h

i

In questo caso, oltre alla dark slide dobbiamo rimuovere anche la prima pellicola del film pack, facendola scorrere delicatamente, senza esercitare pressioni eccessive sulla sua superficie. Conserviamo le pellicole non esposte in un luogo al riparo dalla luce, così potremo reinserirle in un secondo tempo.

7 Una volta inserita la pellicola falsa, rimettiamo al suo posto la dark slide. Intanto assicuriamoci che l'etichetta in alto a sinistra della slide sia allineata con l'incavo del film pack **(g)**. Premiamo in basso con delicatezza la zona centrale della dark slide, in modo da farla andare sotto la cornice del film pack. Ora il film pack è pronto all'uso!

8 Inseriamo il film pack nella fotocamera come al solito **(h)** e aspettiamo che la dark slide venga espulsa.

9 Impostiamo il controllo Chiaro/Scuro al centro se eseguiamo una doppia esposizione, e verso il nero se ne eseguiamo una tripla, per evitare di ottenere un'immagine finale sovraesposta **(i)**.

Ora siamo pronti a fare la prima delle esposizioni multiple, alla fine della quale la falsa pellicola sarà espulsa. Conserviamola per utilizzarla in futuro.

Scattiamo la seconda esposizione e aspettiamo che lo sviluppo sia completo per visualizzare il risultato del nostro lavoro.

Nota

Possiamo usare un intero film pack in questo modo, alternando pellicole false a quelle vere, ma con un massimo di quattro doppie esposizioni (otto fogli in totale). Con le pellicole Impossible possiamo fare quattro doppie esposizioni, e con le cartucce Polaroid, cinque. Per realizzare triple esposizioni dobbiamo rimuovere due fogli di pellicola dal film pack e inserire due pellicole false.

In alto: doppia esposizione su pellicola Impossibile SX-70. **A destra:** doppia esposizione su pellicola Impossibile SX-70 Push di Ludwig West SX-70. **In basso:** Louvre Pyramid, doppia esposizione su pellicola Polaroid 669 scaduta.

Esposizioni multiple con pellicole in cartucce e in fogli

Dato che i sistemi/fotocamera peel-apart richiedono l'estrazione manuale della pellicola per dare il via allo sviluppo, dopo il passaggio attraverso i rulli, le esposizioni multiple sono semplici e non richiedono l'uso di una camera oscura o equipaggiamento speciale. Se lasciamo la pellicola dentro la fotocamera, basta scattare una seconda o terza foto sulla pellicola già esposta una volta. Ricordiamoci di impostare il controllo Chiaro/Scuro, se c'è, verso lo Scuro, in modo da evitare sovraesposizioni, come indicato nel punto 9.

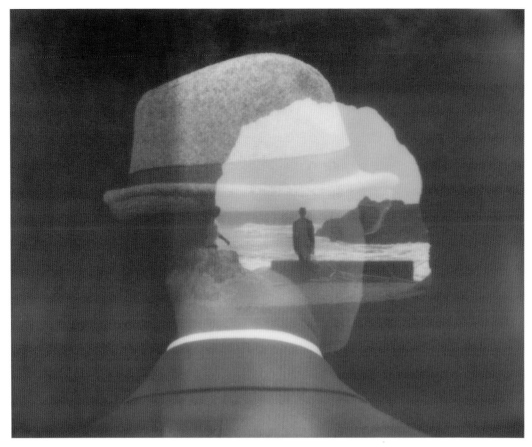

In alto e a sinistra: doppie esposizioni
su pellicola Spectra, di Brandon C. Long.

In alto a destra: *Silente*, una doppia
esposizione su Spectra, di Penny Felts.

a   b   c

d   e   f

Esposizioni multiple con fotocamere Spectra

Materiali:

- Fotocamere Spectra, a eccezione della 1200FF (pp. 66-71)

- Pellicole compatibili (vedi Guida, pp. 224-229)

Metodo

1 Apriamo la fotocamera **(a)**.

2 Spostiamo il controllo Chiaro/Scuro su Scuro **(b)**.

3 Carichiamo la pellicola, identifichiamo il soggetto e scattiamo la prima foto, senza però rilasciare il pulsante di scatto **(c)**.

4 Mentre teniamo premuto il pulsante di scatto, con la mano sinistra iniziamo a chiudere la fotocamera **(d)**.

5 Una volta chiusa **(e)**, possiamo rilasciare il pulsante di scatto. In questo modo abbiamo interrotto la procedura di sviluppo resettando la fotocamera, che "si dimentica" di aver fatto il primo scatto.

6 Apriamo la fotocamera ed eseguiamo il secondo scatto **(f)**. L'immagine a questo punto viene espulsa e inizia lo sviluppo.

Variazione per autoscatto

Con le fotocamere Spectra con autoscatto (modelli di fascia media e professionale, pp. 66-71), possiamo fare una doppia esposizione senza premere il pulsante di scatto mentre chiudiamo la fotocamera.

1 Impostiamo il controllo Chiaro/Scuro della fotocamera su Scuro, regoliamo l'autoscatto e premiamo il pulsante di scatto.

2 Aspettiamo che l'otturatore si apra alla fine del periodo stabilito con l'autoscatto e non disattiviamolo. Se lo facessimo, la foto verrebbe espulsa.

3 Come prima, chiudiamo semplicemente la fotocamera per resettarla. Ora possiamo di nuovo usare l'autoscatto e, alla fine delle seconda esposizione, spegnerlo. In alternativa, possiamo spegnere prima l'autoscatto ed eseguire uno scatto nel modo normale.

4 Fatta la seconda esposizione, come accade normalmente, la foto verrà espulsa.

Manipolazione cartucce.
Filtrare e mascherare

PELLICOLE Qualsiasi
TEMPO 60 minuti
DIFFICOLTÀ Moderata

La fotografia istantanea, grazie alle proprie caratteristiche fisiche e chimiche, permette di sperimentare molto di più rispetto alla fotografia analogica convenzionale. Nelle pellicole integral, per esempio, ogni foglio è a sé stante e di facile accesso. Se si verifica un problema, spesso riguarda un singolo foglio di pellicola. Tutto ciò risulta molto vantaggioso per diverse tecniche creative, inclusi i *polagram* (pp. 186-189) e le esposizioni multiple (pp. 108-113).

La tecnica Filtering and Masking, che in italiano possiamo chiamare «filtrare e mascherare», condivide alcuni principi delle esposizioni multiple e implica la manipolazione della pellicola esponendola parzialmente alla luce, forme e colori. In tutte le forme della fotografia vale lo stesso principio: le aree più chiare sono quelle dove la superficie della pellicola ha ricevuto più luce e le aree più scure quelle dove l'assorbimento è stato minore. Se facciamo in modo che arrivi meno luce in certe zone della pellicola, queste risulteranno più scure. Inoltre, se filtriamo la luce con un filtro colorato, la foto assumerà una particolare tinta.

Questa tecnica può essere così definita filtering and masking e, che si vada ad agire su una singola pellicola o su tutta la cartuccia, quello che facciamo è del tutto simile a quanto accade nelle camere oscure quando si applica la tecnica definita "brucia e scherma".

Possiamo usare questa tecnica per creare diversi effetti. Si può realizzare una maschera ritagliando delle forme in una Polaroid malriuscita, come delle stelle o delle scritte. Questa tecnica può essere usata per la manipolazione di una singola foto oppure per quella di tutta la cartuccia. È possibile utilizzare un foglio di acetato trasparente su cui scrivere o disegnare, per poi inserirlo nel film pack per essere espulso dopo la prima foto, oppure fissarlo con del nastro su una nuova cartuccia in modo che stia in loco per più scatti. La stessa cosa può essere fatta con fogli di acetato colorati, che renderanno più colorata l'immagine in toto, oppure creare in essa delle zone di colori diversi.

Le possibilità sono davvero tante e in questo libro vedremo solo i principi e i metodi base di questa tecnica, lasciando a ognuno la libertà di fare i propri esperimenti.

Filtro o maschera?

Prima di rispondere a questa domanda, è necessario sapere se si vuole modificare una singola foto o tutta la cartuccia.

Nella seconda ipotesi dobbiamo fissare con nastro il filtro o la maschera in cima al film pack, in modo che rimanga al suo posto quando le pellicole vengono espulse dopo l'esposizione. Per modificare una singola pellicola dobbiamo creare un filtro o una maschera e inserirla in cima alla cartuccia, così che la fotocamera li tratti come una parte della pellicola, facendola passare tra i rulli dopo che è stato premuto il pulsante di scatto. Questo filtro/maschera va rimosso dopo averlo usato.

Ora scegliamo tra filtro e maschera. La maschera blocca completamente l'arrivo della luce alla pellicola, come si vede in **(a)**, dove la foto è stata realizzata con una maschera per singolo scatto, inserita nel film pack, e una doppia esposizione. Il filtro, invece, blocca l'esposizione proporzionalmente al proprio grado di trasparenza, come si vede nella foto **(b)**, realizzata utilizzando un foglio di acetato colorato. Possiamo usare un filtro per mascherare piccoli

a

b

dettagli quando sarebbe difficile creare una maschera. Per farlo basta disegnare sul filtro, con un pennarello, la forma dell'area da mascherare, bloccando la sua esposizione. Le maschere sono più adatte per controllare l'esposizione di aree più vaste della pellicola.

Possiamo disegnare sui filtri anche forme che vogliamo risultino sull'immagine finale, sia utilizzando pennarelli indelebili sia applicando colori con i pennelli.

Possiamo anche stampare immagini o disegni su un foglio di acetato adatto e poi ritagliarlo nelle dimensioni desiderate. Con questo metodo è inoltre possibile creare filtri a densità neutra che permettano di utilizzare pellicole 600 con le fotocamere SX-70 (pp. 44-56), oppure filtri colorati che modifichino le tinte delle foto.

I filtri offrono l'opportunità di inserire del testo nelle foto. Possiamo scriverlo con un pennarello nero su un foglio trasparente, inserirlo nella cartuccia e scattare. La scritta apparirà sulla foto in nero. Anche in questo caso, se vogliamo applicare il testo a tutte le foto del film pack, dovremo fissare il filtro alla sua sommità con del nastro adesivo.

Se invece vogliamo che nella foto si veda solo il testo, dovremo usare una maschera. Per realizzarla dobbiamo ritagliare il testo sulla maschera, come fosse uno stencil, quindi metterla in cima alla pila delle pellicole – vedi **(g)** a p. 117 – se la vogliamo utilizzare una sola volta, oppure fissarla alla parte superiore della cartuccia se desideriamo usarla per tutte le pellicole in essa contenute. A differenza delle maschere,

i filtri sono più duttili, potendo dare risultati più eterei e meno precisi.

Tuttavia, è possibile utilizzare contemporaneamente un filtro e una maschera.

Nel complesso, questa tecnica richiede una certa programmazione, in quanto si parte dall'effetto finale che vogliamo ottenere per realizzare il materiale con cui ottenerlo, che si tratti di filtri o di maschere.

Non si abbia paura di provare nuove strade, perché i risultati migliori si avranno alla fine di un percorso che a volte può risultare sbagliato e che andrà ripetuto. Difficilmente si avranno risultati soddisfacenti alla prima prova.

Filtrare e mascherare una cartuccia

Metodo 1 (filtro per cartuccia)

1 Ritagliamo un foglio di acetato della misura di una dark slide, in modo che risulti leggermente più ampio dell'area immagine della cartuccia. Nella parte superiore sinistra del foglio ritagliamo una tacca allineata a quella presente nella cartuccia *(a)*, così da ridurre il rischio che la pellicola si inceppi mentre passa attraverso i rulli.

2 Usando un pennarello indelebile, disegniamo ciò che vogliamo sul filtro, oppure usiamo un pennello per aggiungere del colore. Aspettiamo che il filtro si asciughi. Queste decorazioni filtreranno la luce che arriva alla pellicola quando verrà esposta *(b)*.

3 Fissiamo con nastro adesivo il filtro alla parte superiore della cartuccia *(c)*, facendo attenzione a non usare troppo nastro, per evitare che si verifichino inceppamenti.
   Utilizzando pellicole integral, assicuriamoci che tutti i bordi siano ricoperti di nastro adesivo, altrimenti la pellicola potrebbe scorrere non correttamente. Allo stesso tempo, facciamo attenzione a non ostruire con il nastro aperture come quella dove deve passare la pellicola, oppure la tacca in alto a sinistra, dove deve far presa il braccetto che spinge fuori la foto dopo l'esposizione.

4 Inseriamo la cartuccia modificata nella fotocamera *(d)*. Se usiamo una macchina Polaroid integral, la dark slide che ora si trova sotto al filtro dovrebbe essere espulsa. Se non succede, significa che il film pack modificato è troppo ingombrante e quindi blocca il braccetto dell'espulsione. Tiriamo fuori la cartuccia e rifacciamo con maggior cura le nastrature.

5 Se usiamo una fotocamera Fuji Instax o un Instant Lab, premiamo il pulsante di scatto per far espellere la dark slide. Se usiamo una fotocamera peel-apart, dobbiamo eseguire la solita procedura per espellere la dark slide.

6 Impostiamo il controllo Chiaro/Scuro della fotocamera *(e)* (se è presente). I filtri, di solito, riducono la quantità di luce che raggiunge la pellicola, quindi è necessario sovraesporre un po' la foto regolando il controllo Chiaro/Scuro o il tempo di esposizione.

7 Scattiamo e assistiamo allo sviluppo della nostra prima foto filtrata *(f)*. Tutto il film pack verrà filtrato in questo modo, come si vede nei due esempi a destra.

Materiali per i metodi 1 e 2

- Fotocamera istantanea
- Pellicola compatibile
- Forbici e taglierina
- Base di taglio
- Nastro adesivo
- Pennarelli indelebili colorati o filtri in gel per flash
- Foglio di acetato trasparente
- Cartoncino nero o dark slide per le maschere

Metodo 2 (maschera per cartuccia)

Come il metodo 1, solo che, al posto del foglio di acetato, usiamo un cartoncino nero in cui abbiamo ritagliato una scritta o una forma attraverso cui passerà la luce *(g)*. La foto risulterà nera con esposta solo la scritta o la forma che abbiamo ritagliato.

a

b

c

d

e

f

g

h

Maschere per singola foto

Questo metodo funziona con cartucce parzialmente usate. Se abbiamo una cartuccia nuova, dovremo estrarre, al buio, un paio di fogli di pellicola per far spazio alla maschera. Non è possibile usare fotocamere peel-apart, perché in queste le pellicole sono arrotolate assieme e non si può inserire la maschera dentro la cartuccia.

Materiali

- Fotocamera istantanea integral (vedi Guida alle pp. 224-229)
- Film pack compatibili
- Dark slide compatibile (per film pack usati in parte)
- Forbici o taglierina
- Base di taglio
- Nastro adesivo
- Una foto mal riuscita, nel formato compatibile

Consigli

Se non vogliamo fare una doppia esposizione, basta impedire che durante il secondo scatto entri luce attraverso l'obiettivo, o fare riferimento al metodo per mascherare l'intero film pack (pp. 116-117).

Metodo 3

① Per realizzare la maschera, usiamo una foto dello stesso formato riuscita male **(a)**. Usiamo una foto vecchia, in modo che sia perfettamente asciutta, altrimenti i reagenti chimici potrebbero fuoriuscire mentre passa tra i rulli, rovinando la fotocamera.

② Rinforziamo la maschera **(b)**. Se ne abbiamo ritagliato ampie aree, potrebbe indebolirsi e distorcersi mentre viene espulsa, causando un inceppamento. Rivestiamo di nastro adesivo tutta la maschera coprendo bene entrambi i lati, così che nessuna parte adesiva del nastro rimanga esposta, fino a quando abbiamo saldato tutte le aperture del ritaglio. Pressiamo bene il nastro perché non rimangano bolle d'aria, che potrebbero generare zone più scure nella foto.

③ Inseriamo la maschera nel film pack utilizzando uno dei due modi descritti di seguito.
Se il film pack è nella fotocamera, andiamo a estrarlo in un posto buio **(c)** seguendo le indicazioni del tutorial per scambiare le pellicole che troviamo alle pp. 64-65. Ricordiamoci che è sempre meglio lavorare con un film pack parzialmente usato, così da poter inserire la maschera senza che il tutto risulti troppo ingombrante e faccia inceppare la fotocamera.
Dopo aver inserito la maschera, ricordiamoci

di inserire la dark slide, assicurandoci che sia posizionata accuratamente, con la tacca allineata a quella del film pack. Dato che stiamo inserendo un solo foglio di pellicola, può risultare più semplice rimuovere il film pack dalla fotocamera e coprirlo di nuovo con una dark slide (stando sempre al buio). A questo punto, inseriamo la maschera nel film pack, proprio sotto la dark slide **(d)**, facendo attenzione a non far arrivare la luce sulla pellicola. Infine, inseriamo il film pack nella fotocamera come al solito.

④ Premiamo il pulsante di scatto per fare la prima esposizione, tenendo in mente la posizione del ritaglio quando componiamo la foto. Dopo lo scatto, la maschera verrà espulsa e potremo tenerla per fare altre foto simili.

⑤ Premiamo di nuovo il pulsante di scatto per esporre l'intera pellicola. Anche in questo caso, la zona ritagliata dalla maschera apparirà più chiara. Alla fine, la pellicola esposta due volte verrà espulsa.

⑥ Godiamoci lo sviluppo della nostra foto **(e)**.

Materiali

a

b

c

d

e

Filtri per singola foto

Metodo 4

1 Realizziamo una cornice ritagliando l'area immagine di una Polaroid da buttare, con un'abbondanza di circa 2 mm **(a)**. L'abbondanza serve a fare in modo che l'area sensibile della pellicola che useremo venga esposta completamente e che non si formino bande scure sui bordi quando la foto viene esposta.

2 Per il filtro ritagliamo un foglio di acetato trasparente, facendo attenzione che risulti leggermente più ampio dell'area ritagliata della cornice. Incolliamo a essa l'acetato, coprendo tutti i bordi liberi. In questo modo avremo una cornice abbastanza resistente per essere espulsa senza problemi. Il nastro va messo bene, così che non possa incastrarsi tra i rulli e inceppare le fotocamera. Dipingiamo sull'acetato per creare il nostro filtro **(b)**. Possiamo anche stamparci sopra un'immagine.

3 Inseriamo il filtro nel film pack, sotto la dark slide, come spiegato a p. 118.

4 Dato che il filtro riduce la quantità di luce che raggiunge la pellicola, portiamo il controllo Chiaro/Scuro verso Chiaro. L'ammontare della compensazione dipende dal filtro e dal disegno fattovi sopra. Scattiamo la prima foto e il filtro verrà espulso. Dopo la seconda pressione del pulsante di scatto, la foto verrà espulsa a sua volta **(c)**. Se vogliamo evitare una doppia esposizione e riprendere solo la scena passata attraverso il filtro **(d)**, dobbiamo chiudere l'obiettivo quando premiamo per la seconda volta il pulsante di scatto.

Nota

Nella prima esposizione verrà registrata la scena attraverso il filtro, mentre la seconda sarà un'esposizione normale. Se vogliamo filtrare tutte le foto di un film pack, perché non utilizzare il metodo descritto alle pp. 116-117?

Per eseguire una corretta doppia esposizione, ricordiamoci di compensare il doppio ingresso di luce spostando il controllo Chiaro/Scuro verso Scuro, in modo da sottoesporre entrambe le esposizioni **(e)**.

Consigli

Per ottenere un filtro più robusto, realizziamo un sandwich con due fogli di acetato attaccati con nastro adesivo davanti e dietro la cornice. Tra i due fogli possiamo inserire filtri colorati in gel. Ricordiamoci, una volta fatto ciò, di sigillare le aperture con altro nastro.

a

b

c

d

e

Realizziamo due maschere opposte, una che blocca e l'altra che mostra **(a)**.

Quando sono messe una sopra l'altra, bloccano completamente la luce **(b)**. Quando vengono inserite una alla volta, la pellicola in un caso è esposta e nell'altro no, senza bisogno di regolare il controllo Chiaro/Scuro.

Nell'esempio 1, l'immagine è stata esposta solo una volta usando la maschera marrone. Nell'esempio 2, la foto finale è stata creata usando entrambe le maschere in successione.

Prima posizioniamo una maschera sotto alla dark slide di una cartuccia semiusata **(c)**. Stando al buio, tiriamo fuori la pellicola dalla fotocamera, reinseriamo la dark slide e torniamo alla luce. Inseriamo la maschera nella cartuccia sotto alla dark slide e rimettiamo la cartuccia nella fotocamera, quindi scattiamo la prima foto. La prima maschera verrà espulsa **(d)**.

Ripetiamo **(c)** con la seconda maschera. Scattiamo la seconda foto per espellere la seconda maschera **(e)**. La pellicola è stata esposta con entrambe le metà della maschera.

Copriamo l'obiettivo per evitare che entri luce, e premiamo una terza volta il pulsante di scatto, in modo che la foto venga espulsa **(f)**. Una volta sviluppata, avremo un'immagine come quella dell'esempio 2.

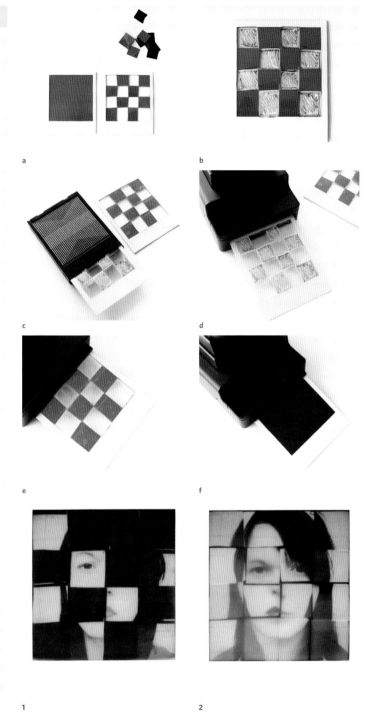

a

b

c

d

e

f

1

2

In senso orario dall'alto: Enrique
Freaza, immagini realizzate con
maschera per singola pellicola.
Foto realizzata con filtro su cartuccia.
Eduardo Martinez Nieto, un altro
esempio di foto realizzata con
maschera per singola pellicola.

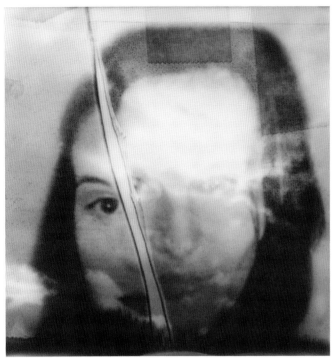

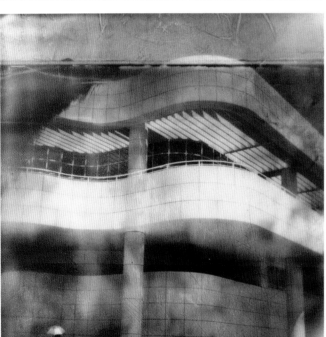

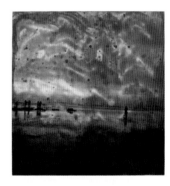

In senso orario dall'alto: Carmen De Vos. *Unconditional* e *Untitled*. foto fatta con pack filter. di Dominik Werdo. Esther Snickenacke, *Wet Sand*. Carmen De Vos. dentro il Getty Museum.

Bruciatura controllata

PELLICOLE Impossible
TEMPO da 15 minuti a diverse ore
DIFFICOLTÀ Facile

Questa tecnica è simile a quella della mascheratura (pp. 114-123),
ma anziché mascherare la pellicola prima dello scatto, metteremo una
maschera sulla foto dopo averla scattata, mentre si sviluppa. Con l'aiuto
del tempo, della luce solare e di un vetro, questa tecnica può essere
utilizzata anche con foto non appena scattate.

Dato che le pellicole Impossible (vedi Guida pp. 224-229) sono molto
più sensibili alla luce delle altre, quando escono dalla fotocamera devono
essere protette con la mano o con la *frog tongue* di Impossible (p. 82).
Questa caratteristica normalmente è considerata un ostacolo, ma qui
risulta utile per il tipo di effetto che vogliamo ottenere. Questa tecnica
può essere usata anche per foto scattate non recentemente, adattando
il metodo descritto qui (vedi "Nota").

Materiali

- Fotocamere SX-70 (pp. 44-56)/Spectra (pp. 58-63)/600 (pp. 66-71).

- Pellicola Impossible compatibile

- Dark slide/cartoncino nero

- Base di taglio

- Bisturi

- Vetro più grande della foto

Opzionale

- Portablocco

Nota

Questa tecnica risulta veloce
grazie alla maggiore sensibilità
alla luce delle pellicole
Impossible. Per ottenere un
effetto simile con altre pellicole,
può servire anche una settimana
al fine di raggiungere lo stesso
livello di sbiancatura. Quando
le pellicole Impossible saranno
migliorate e non sarà più
necessario proteggerle dalla
luce dopo l'esposizione, ci vorrà
un tempo maggiore rispetto ai
pochi minuti che bastano ora
per mettere in pratica questa
tecnica.

Metodo

1 Prendiamo una dark slide
o un pezzo di cartoncino della
stessa misura, mettiamolo sulla
base di taglio e realizziamo
un'incisione con il bisturi **(a)**.
Alla fine del procedimento,
l'area ritagliata darà luogo a una
zona "bruciata" di diverso colore
sulla foto.

2 Scattiamo una foto.
È consigliabile inquadrare
una scena con un'area scura
in corrispondenza del ritaglio
sulla maschera, perché così
otterremo un maggiore
contrasto cromatico **(b)** tra
la zona mascherata e quella
libera. Subito dopo l'espulsione,
mettiamo la maschera sulla foto
e copriamo il tutto con il pezzo
di vetro **(c)**.

3 Entro 30 secondi dallo
scatto, mettiamo la foto al sole
o in una zona con molta luce.
Per evitare che la maschera o il
vetro si muovano, è utile fissarli
su un portablocco **(d)**.

4 Aspettiamo il completo
sviluppo della foto
e controlliamo il risultato.
Se vogliamo ottenere un effetto
più pronunciato, lasciamo la foto
al sole per un tempo più lungo.

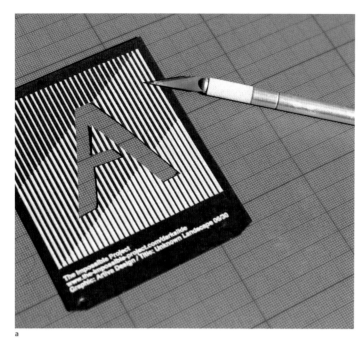

a

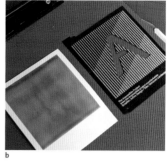

b

c

d

Andiamo avanti

In alternativa, questa tecnica
può essere utilizzata anche
con le pellicole peel-apart.
Dobbiamo solamente separare
gli strati della pellicola e mettere
la maschera sull'emulsione
tra i due.

Dobbiamo agire
rapidamente, in quanto l'area
corrispondente al ritaglio si
svilupperà, mentre quella
coperta no. Con pellicole Fuji,
vedremo delle zone nere dove
i due strati separati tornano a
toccarsi, dato che il negativo
sarà stato solarizzato.

Light Painting

PELLICOLE Impossible/Polaroid integral
TEMPO 10 minuti
DIFFICOLTÀ Moderata

Il Light Painting è piuttosto divertente. Con questa tecnica possiamo creare bellissime volute luminose, scritte o forme astratte, ma anche divertirci con trucchi fotografici ed esposizioni multiple (pp. 108-113). È necessario lavorare in un ambiente completamente buio, in quanto terremo aperto l'otturatore della fotocamera a lungo e useremo una torcia per disegnare o per illuminare i soggetti che vogliamo vedere nella foto finita. In questo modo, la fotocamera vedrà solo quello che scegliamo di illuminare, quindi, in pratica, noi dipingeremo sulla foto con la luce di una torcia. Sebbene non sia una tecnica esclusiva per pellicole istantanee, il suo uso con fotocamere istantanee richiede un minimo di ingegnosità.

Se per questa tecnica usiamo fotocamere integral Polaroid o Fuji (vedi guida pp. 224-229), dovremo fare in modo che l'otturatore rimanga aperto per un tempo superiore a quello che questi modelli concedono, generalmente alcuni secondi, altrimenti non riusciremo a illuminare a sufficienza il soggetto da riprendere. Nel metodo descritto di seguito, vedremo come ottenere l'effetto, utilizzando proprio questo tipo di fotocamere. Se, invece, utilizziamo fotocamere peel-apart non sarà necessario fare ciò, in quanto questi modelli offrono la possibilità di mantenere aperto l'otturatore per tutto il tempo che ci serve, grazie alla "posa B". Se vogliamo combinare questa tecnica con altre manipolazioni creative, è consigliabile utilizzare le pellicole Polaroid integral. Per fotocamere peel-apart vedi nota qui sotto.

Materiali

- Fotocamera Polaroid Integral con adattatore per treppiedi

- Pellicole compatibili

- Treppiedi

- Torcia LED (con regolazione del flusso luminoso

Opzionali

- Gel colorati

Nota

Con le fotocamere peel-apart manuali possiamo tenere aperto l'otturatore per il tempo che ci serve. In quelle automatiche, l'otturatore si chiude dopo circa 10 secondi. Per assicurarci di avere il tempo di esposizione necessario, dobbiamo coprire l'electric eye e premere di nuovo lo scatto ogni volta che finisce il tempo.

Metodo

1 Inseriamo la pellicola nella fotocamera e fissiamo questa a un treppiede *(a)*. Mettiamo a fuoco il soggetto nella scena. Spegniamo le luci e proviamo la torcia, controllando che il raggio di luce sia il più stretto possibile, se vogliamo ottenere scie ben definite.

2 Al buio completo premiamo il pulsante di scatto *(b)*. Ora lasciamo andare il pulsante e la fotocamera continuerà l'esposizione. Se non siamo in un ambiente completamente buio, durante questa fase copriamo l'obiettivo con la mano, in modo che la pur poca luce presente non vada a colpire la pellicola.

3 Apriamo rapidamente lo sportello del vano portapellicola premendo il pulsante giallo. In questo modo la fotocamera si spegne, l'otturatore rimane aperto e la pellicola non viene espulsa *(c)*.

4 Scopriamo l'obiettivo, accendiamo la torcia e iniziamo a dipingere con la luce *(d)* o a illuminare la zona che vogliamo sia visibile nella foto. Volendo, possiamo mettere dei gel colorati davanti alla torcia, per ottenere effetti più creativi.
Per conseguire un effetto "tripletta", simile a quello della

foto al centro di questa pagina **(e)**, posizioniamo il soggetto a sinistra e illuminiamolo con la torcia. Stiamo piuttosto vicini al soggetto, e non preoccupiamoci se entriamo nel campo visivo della fotocamera, perché se la luce non ci colpisce non risulteremo visibili. Illuminiamo la testa, le braccia, il torso e le parti dello sfondo che vogliamo eventualmente includere nella foto. Muoviamo la torcia in modo uniforme e senza soffermarci troppo su una zona per non sovraesporla! Una volta finito, spegniamo la torcia.

Per la seconda parte della tripletta, spostiamo il soggetto a destra e ripetiamo il procedimento, evitando di illuminare la parte a sinistra della scena già esposta. Se la luce colpisce più volte lo sfondo, alla fine potrebbe risultare visibile come è successo nella parte destra dell'immagine qui a fianco. Ripetiamo il procedimento per la posizione centrale.

5 Chiudiamo lo sportello del vano portapellicola **(f)**.

6 La foto non viene espulsa automaticamente e per questo dobbiamo premere il pulsante di scatto. Ricordiamoci di coprire l'obiettivo in modo che la foto non venga ulteriormente esposta **(g)**, e aspettiamo di sentire il rumore del motore prima di togliere la mano.

Possiamo ripetere il punto 4 quante volte vogliamo, ma teniamo presente che il rischio di sovraesposizione aumenta proporzionalmente al numero di passaggi della luce sulla scena.

Doppietta, una variante del metodo descritto alle pp. 126-127.

Esposizione stratificata realizzata con veloci lampi del flash.

Nota

Questa tecnica richiede pratica, una buona conoscenza della propria fotocamera e perseveranza. Se abbiamo una macchina digitale con attacco per treppiede, posa B e selettore della sensibilità ISO, facciamo un po' di prove, impostando gli stessi ISO della pellicola integral che vogliamo usare.

Possiamo ottenere risultati simili con esposizioni veloci, che possono essere ottenute accendendo e spegnendo una luce durante l'esposizione. In questo caso, è meglio impostare il controllo Chiaro/Scuro su Scuro.

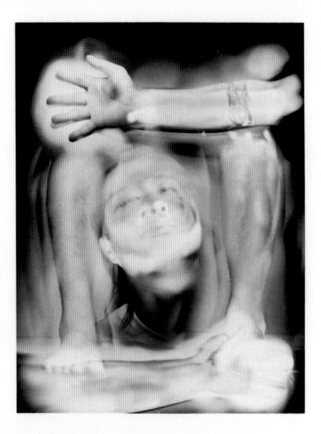

Sopra: light painting di Drew Baker su pellicola Fuji FP-100C ottenuto con cinque esposizioni.

A destra: light painting di Drew Baker su pellicola Fuji FP-100C ottenuti con cinque esposizioni.

WONDER

SUPER

In alto: *Big Shot*, doppietta su pellicola
Impossible SX-70 bianco e nero.
Triplets, tripletta su pellicola Impossible
SX-70 bianco e nero.
Al centro: manipolazioni cartucce
combinate con light painting, di
Mathieu Mellec.
In basso: Lucile Le Doze, Lou Noble.

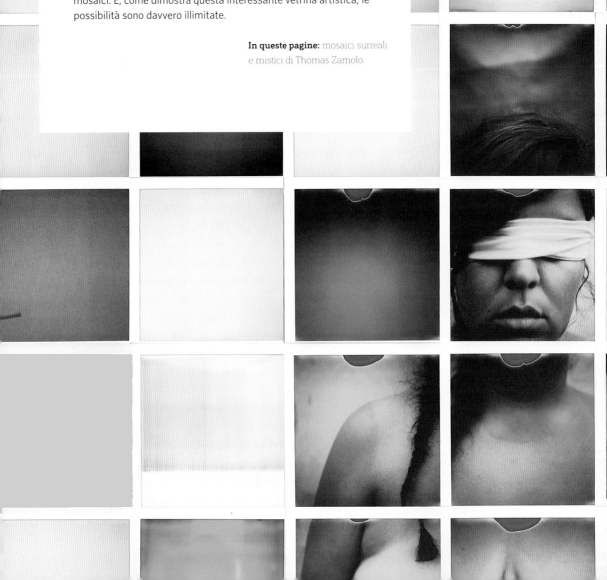

Mosaici

La tecnica dei mosaici è in voga tra i fotografi "istantanei" fin dai tempi della comparsa delle Polaroid. È un metodo utilizzato per realizzare immagini su grande scala basato sull'assemblaggio di singole foto.

I "mosaici istantanei" ebbero un picco di popolarità dopo che David Hockney iniziò a mostrare al pubblico i suoi fotomontaggi con alterazione della prospettiva. La nascita della prima pellicola integral, la SX-70 (pp. 44-56), e il rapido sviluppo a essa associato, resero la tecnica dei mosaici molto più semplice, in quanto era diventato possibile scattare e assemblare le foto quasi in tempo reale, senza nemmeno dover aspettare che l'emulsione asciugasse. Ci sono tanti fotografi contemporanei che nel loro lavoro usano le foto istantanee per creare mosaici. E, come dimostra questa interessante vetrina artistica, le possibilità sono davvero illimitate.

In queste pagine: mosaici surreali e mistici di Thomas Zamolo.

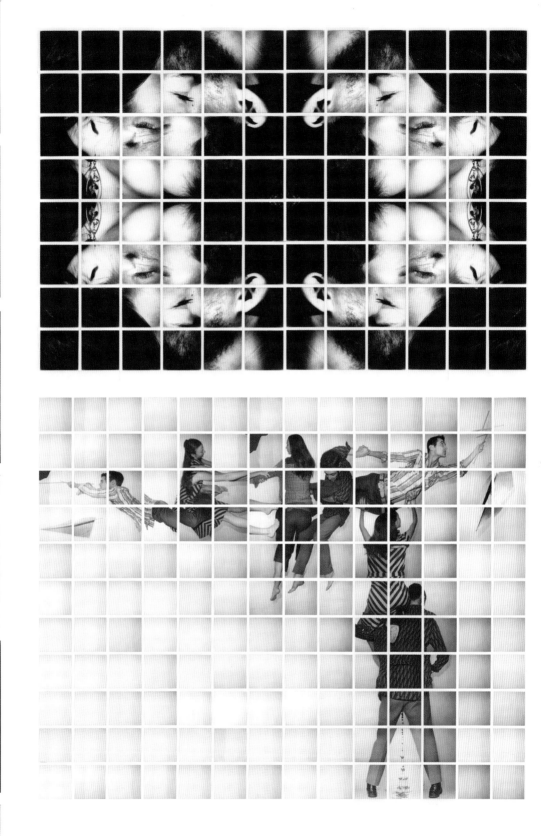

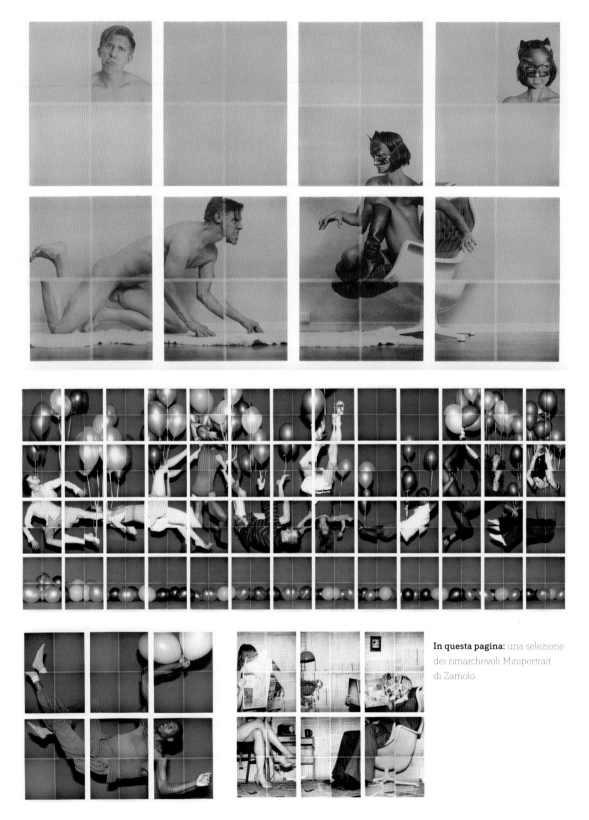

In questa pagina: una selezione
dei rimarchevoli Miniportrait
di Zamolo.

In questa pagina: artisti come David Hockney, Daido Moriyama e Zamolo assemblano immagini integral per giocare con le forme e le prospettive.

Trasferimento immagini. Pellicole Polaroid Peel-apart

PELLICOLE Polaroid peel-apart
TEMPO 20 minuti
DIFFICOLTÀ Moderata

La tecnica del trasferimento immagini non è difficile: una volta scattata una foto usando una pellicola peel-apart, possiamo bloccare il trasferimento dei pigmenti allo stato ricevente della Polaroid, separando gli stati in anticipo. In questo modo, l'immagine catturata rimane nello strato "negativo". Se premiamo questo strato su un foglio di carta da acquerello porosa, possiamo trasferire i pigmenti ancora malleabili su di essa e realizzare una stampa positiva.

Il trasferimento immagini si può fare con alcune pellicole originali Polaroid peel-apart a colori scadute (Guida, pp. 224-229), oppure con qualche adattamento usando le Fuji FP100-C (pp. 138-139). Dobbiamo fare attenzione a non confondere la tecnica del trasferimento immagini con quella del trasferimento dell'emulsione o dell'emulsion lift, perché sono fondamentalmente diverse (pp. 140-149). L'emulsion lift implica il trasferimento dell'immagine positiva, completamente sviluppata e indurita, su una superficie diversa, per esempio la carta.

Per trasferire le immagini possiamo usare anche negativi asciutti e foto completamente sviluppate (le pellicole Fuji danno risultati migliori delle Polaroid, p. 137). Prima di provare questo metodo, è opportuno familiarizzare con il tutorial passo per-passo, così potremo anche valutare i risultati ottenibili.

Nota

Non è possibile utilizzare pellicole Impossible o Instax per questa tecnica, ma solo Polaroid scadute o Fuji FP-100C (entrambe acquistabili online). Le Polaroid 669, ID-UV, 690, 59 (4"x5" in fogli), 559, (5"x4" pack) e 809 (8"x10") funzionano meglio. Per ulteriori informazioni, andiamo alla "Guida sulla compatibilità delle pellicole istantanee" (pp. 224-229).

Nota

È meglio usare foto appena scattate e lavorare velocemente. Proviamo questa tecnica all'interno, così che la carta non si asciughi troppo in fretta. In seguito, potremo anche provare all'aperto, nella zona in cui si fotografa.

Metodo

1 Immergiamo la carta in acqua tiepida per 15-30 secondi o fino a quando diventa morbida **(a)**. Sgoccioliamola delicatamente per eliminare l'eccesso d'acqua e mettiamola su una superficie piana. Premiamoci sopra della carta da cucina o un panno di cotone.

2 Scattiamo una foto o usiamo una slide printer/Daylab per fotografare una diapositiva o per trasferirne una vecchia su una pellicola Polaroid (pp.

Materiali

- Carta da acquerello (300 gsm, acid-free)
- Carta da cucina/panno
- Base di taglio
- Fotocamera Polaroid peel-apart o Daylab/Vivitar Slide printer e diapositive a colori
- Pellicole compatibili
- Rullo

- Vaschette e acqua

Opzionali

- Forbici
- Asciugacapelli
- Aceto bianco/candeggina
- Pennello a setole morbide
- Campioni di filtri in gel colorati

Materiali

a

b

c

d

e

f

g

72-73). Estraiamo la pellicola dalla fotocamera per iniziare lo sviluppo **(b)**. Aspettiamo 10-15 secondi. Se aspettiamo di più, i pigmenti verranno maggiormente trasferiti al positivo e il negativo risulterà poco colorato. Se agiamo troppo in fretta, il negativo rimarrà quasi del tutto blu.

Consigli

Per un trasferimento più pulito, tagliamo i lembi alle estremità aperte del foglio di pellicola che possono trattenere i reagenti chimici durante il trasferimento. Se non li eliminiamo, avremo un margine marrone sul bordo sinistro dell'immagine, che comunque può essere rimosso con un bagno candeggiante, come indicato nel punto 9.

3 Separiamo i due strati della pellicola e mettiamo il negativo a faccia in giù sulla carta umida **(c)**, premendolo bene così che vi rimanga

attaccato. Assicuriamoci che il negativo non si muova mentre lo premiamo o l'immagine finale risulterà poco nitida.

4 Premiamo uniformemente con il rullo per trasferire i pigmenti sulla carta **(d)**.

5 Se lavoriamo con carta non liscia, come quella da acquerello, sarà necessario schiacciare accuratamente il negativo in modo che i pigmenti si depositino anche tra le rugosità della carta.
Per farlo possiamo usare il pollice, oppure strofinare vigorosamente il dorso del negativo con un panno **(e)**. Facciamo comunque attenzione a non applicare una pressione

eccessiva, altrimenti l'emulsione potrebbe debordare fuori dal negativo. Se, invece, applichiamo poca forza, l'immagine finale potrebbe rimanere macchiettata.

6 Possiamo mantenere caldo il negativo durante lo sviluppo mettendolo in acqua tiepida, facendo attenzione che non si sollevi dalla carta **(f)**, oppure usare un asciugacapelli a bassa temperatura.

7 Aspettiamo 1 o 2 minuti, quindi separiamo lentamente il negativo **(g)**. Se necessario, usiamo un pennello per mettere dell'acqua tra il negativo e la carta, in modo da ridurre il rischio di danni.

8 Rimosso il negativo, potremmo vedere delle strisce marroni sull'immagine **(h)**. Se questo effetto ci piace lasciamo asciugare la carta, ma se vogliamo rimuoverlo passiamo al punto 9.

9 Riempiamo una bacinella con una soluzione di aceto bianco e acqua (1:4-5), immergiamo la carta e agitiamo per 30 secondi a temperatura ambiente. Possiamo anche usare una soluzione di candeggina (1:15), che applicheremo con un pennello sulle zone da pulire **(i)**. Per schiarire l'immagine possono essere usate entrambe le soluzioni.

Una volta soddisfatti, togliamo la carta dalla soluzione e sciacquiamola delicatamente.

10 Lasciamo asciugare. Ora avremo due versioni della foto: quella trasferita e quella positiva, più pallida **(j)**. Quest'ultima, sebbene delicata, può essere usata per la tecnica Emulsion Lifting (pp. 146-147).

11 La texture della carta può migliorare l'immagine finale, come si può vedere qui, dove la superficie non uniforme accentua le asperità delle montagne **(k)**.

Consigli

Possiamo modificare ancora l'immagine cancellandone delle parti, graffiandola o colorandola.

Inoltre, anziché sulla carta, possiamo trasferirla su altri substrati: ceramica grezza, legno o fogli d'oro.

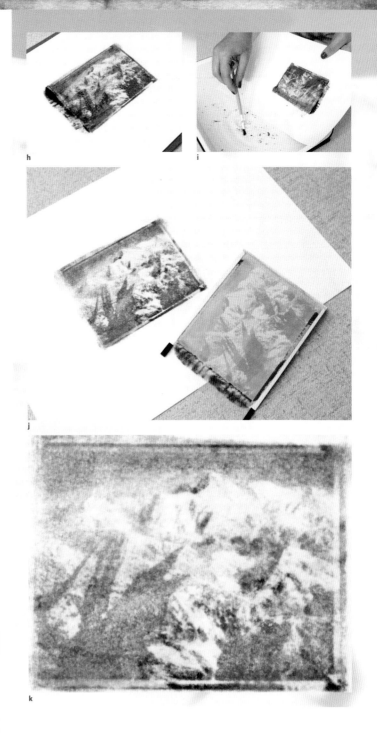

h

i

j

k

Metodo avanzato. Negativi Polaroid asciugati

Per trasferire l'immagine da un negativo asciutto o da una Polaroid completamente sviluppata, è possibile rigenerare il negativo e trasferirne i pigmenti. Il risultato non sarà paragonabile a quello ottenuto con un positivo ancora in fase di sviluppo, ma avrà lo stesso delle particolari caratteristiche che lo renderanno unico.

Sebbene i risultati migliori si ottengano da negativi vecchi di solo qualche ora, possiamo utilizzare anche quelli che sono stati lasciati asciugare da qualche giorno.

Materiali

- Carta da acquerello (almeno da 300 gsm, acid-free)

- 2 lastre di vetro che entrino nel microonde e che siano: una leggermente più larga del negativo e l'altra un po' più grande, con 2 o 3 cm in eccesso su ogni lato del negativo

- Negativo Polaroid asciutto

- Acqua corrente

- Rullo di gomma

- Microonde (con potenza di almeno 800 W)

Metodo

1 Per questa versione del metodo dobbiamo bagnare molto bene la carta.

2 Senza tamponarla, mettiamo la carta sul vetro più grande.

3 Mettiamo il negativo sulla carta a faccia in giù.

4 Versiamo dell'acqua sul vetro e sulla carta, senza far spostare il negativo.

5 Usando il rullo, premiamo delicatamente il negativo sulla carta in modo che vi aderisca. Muoviamo il rullo dal centro verso l'esterno, così che non muova il negativo.

6 Mettiamo il vetro più piccolo sopra al negativo, appoggiandolo prima da un lato e abbassandolo mentre facciamo passare dell'acqua sul dorso del negativo. In questo modo, riusciremo a intrappolare un sottile velo d'acqua tra vetro e negativo, così da impedire che quest'ultimo si secchi nel microonde.
Per rimuovere eventuali bolle, alziamo rapidamente il vetro e riabbassiamolo.

7 Mettiamo il sandwich di vetri nel microonde. Impostiamo la potenza ad almeno 800 W e una durata di 40 secondi (trovare il tempo corretto richiederà una serie di tentativi a seconda delle caratteristiche dell'immagine).

8 Rimuoviamo i vetri dal microonde usando dei guanti da forno o altre opportune protezioni.

Consigli

Per ottenere trasferimenti di immagini migliori, manteniamo umidi i negativi dopo averli separati dai positivi. Mettiamoli in un sacchettino ermetico, tipo Ziploc, subito dopo averli separati, e aggiungiamo una piccola quantità di acqua per non farli attaccare fra loro o alle pareti del sacchetto.

9 Mettiamo il sandwich sotto l'acqua corrente e delicatamente solleviamo il vetro superiore. Lasciamo correre l'acqua sul dorso del negativo e sulla carta. Più si imbeve la carta e più semplice sarà rimuovere il negativo.

10 Con attenzione rimuoviamo il negativo dalla carta per poter visualizzare l'immagine trasferita!

Trasferimento da negativo di Polaroid scattata due giorni prima.

Trasferimento immagini. Pellicole Fuji Peel-apart

PELLICOLE Fuji Peel-apart
TEMPO 10 minuti
DIFFICOLTÀ Moderata

I negativi delle pellicole Fuji colour Peel-apart, le FP-100C e le molto rare 4"x5" Fuji FP-100C45 (pp. 224-229), contrariamente alle Polaroid (pp. 134-137), quando vengono esposti alla luce diventano completamente neri. Per evitare di trasferire un rettangolo nero anziché l'immagine, facciamo sì che i negativi non prendano luce. Le immagini dei passaggi illustrati di seguito sono illuminati solo a scopo dimostrativo. In questo metodo non c'è bisogno di bagnare la carta.

a

Materiali

- Pellicole Fuji Peel-apart (pp. 224-229)
- Portablocco
- Carta da acquerello (300 gsm, acid free)
- Filtri per flash in gel (campionario)

Consigli

I trasferimenti da negativi Fuji possono risultare un po' giallastri **(d)**. Se usiamo una slide printer o un Daylab (p. 72), possiamo usare un piccolo filtro in gel per bilanciare questa dominante. I libretti campione dei filtri Rosco (p. 72) contengono centinaia di filtri diversi, che tra le altre cose hanno le dimensioni perfette per essere utilizzati con le diapositive 35 mm. Mettiamo un filtro ciano sulla diapositiva prima di esporla e otterremo un risultato migliore **(e)**.

Metodo

b

1. Scattiamo una foto e appena espulsa mettiamola nel portablocco assieme alla carta. La carta va messa sotto e sopra di essa la foto con lo strato positivo appoggiato sulla carta stessa **(a)**.

c

2. Spegniamo la luce e lasciamo sviluppare la foto per circa 20 secondi. Passato questo tempo, solleviamo la pellicola e, rapidamente, separiamo il positivo allontanandolo dal negativo **(b)**.

3. Ora abbassiamo il negativo, che verrà così a contatto con la carta asciutta **(c)**; facendo attenzione a non far alzare il negativo, possiamo accendere la luce.

d

4. Ora seguiamo i punti da 4 a 7 del metodo per il trasferimento di immagini da pellicole Polaroid (p. 135) per completare il procedimento.

e

John Nelson, trasferimento immagine
da negativo di pellicola Fuji peelapart.

Emulsion Lifting. Pellicole Impossible

PELLICOLE Impossible
TEMPO 30-45 minuti
DIFFICOLTÀ Moderata

Con le prime pellicole prodotte da Impossible era possibile mettere in atto la tecnica emulsion lifting solo con alcuni film pack e pellicole in foglio particolari. Fortunatamente, quando Impossible cambiò la formula dei reagenti chimici, sia per gli sviluppi delle ricerche, sia per problemi contingenti legati alla disponibilità di prodotti chimici o alle nuove norme ambientali, l'emulsione divenne perfetta per una pletora di tecniche creative.

Materiali

Tutte le pellicole dello stock di Impossible – a colori, in bianco e nero, come le edizioni speciali bicromatiche – possono essere utilizzate con questo metodo. Le emulsioni delle pellicole Impossible hanno caratteristiche molto interessanti: infatti, possiamo allargarle, tirandole, mentre sono immerse in acqua calda. In questo modo riusciamo a ottenere immagini più grandi e a coprire un'ampia superficie senza dover spendere un capitale in pellicole Polaroid scadute.

a

Il metodo illustrato di seguito ha molte varianti, incluse quelle che indicano di immergere la carta, anziché l'acetato, per sollevare l'immagine. La guida passo per passo delle prossime pagine illustra la tecnica più flessibile, che ci permette di ottenere semplicemente lavori di dimensioni maggiori.

b

c

Nota

Le pellicole Impossible integral sono le uniche di questo tipo che possono essere utilizzate con questa tecnica. Per provarla con pellicole Polaroid o Fuji dobbiamo usare i formati peel-apart. Le Polaroid 669, 59 (pp. 178-179) e ID-UV vanno bene, come pure le Fuji FP-100C e FP-100C45.

Materiali

- 2 vaschette per l'acqua (fredda e tiepida)
- Pennello morbido a punta piatta
- Bollitore
- Carta da acquerello
- Foto su pellicola Impossible (non più vecchia di due settimane)
- Pezzo di acetato spesso (non quello da stampa che ha una copertura che viene via)
- Forbici e bisturi

Opzionali

- Asciugacapelli
- Base di taglio
- Gel acrilico medio (Liquitex Medium Gel Opaco/vernice spray opaca)

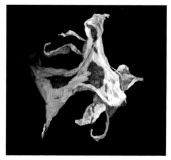

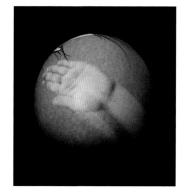

Consigli

Possiamo trasferire l'emulsione praticamente su qualsiasi supporto: legno (come ha fatto Ina Echternach, in alto a sinistra), lattine o ceramica (Bob Worobec, a sinistra). Possiamo perfino far asciugare l'emulsione per realizzare una scultura (Jennifer Bouchard, sopra).

Metodo

1 Tagliamo un bordo bianco della foto, senza intaccare la finestra immagine **(a)**.

Sotto lo strato superficiale c'è una forma con i bordi neri, dove i reagenti chimici non sono stati colpiti dalla luce. Se vogliamo unire diverse emulsioni tra loro e non desideriamo che si veda questo bordo nero, ritagliamolo. Se invece vogliamo tenerlo, ritagliamo la foto stando a 2 mm dal bordo, prima di dividerne gli strati.

2 Separiamo i due strati delle foto. Dovremmo riuscire a mantenere l'immagine attaccata alla finestra trasparente (strato superiore) e rimuovere il fondo nero e lo strato adesivo. Per farlo, separiamo

delicatamente l'immagine, aiutandoci con le unghie o con il bisturi per trovare un punto da cui iniziare **(b)**.

Se l'immagine offre resistenza, possiamo usare un asciugacapelli per ammorbidire l'emulsione. Impostiamo una temperatura non alta e teniamo l'apparecchio a non meno di 40 cm per evitare la formazione di bolle sull'emulsione.

3 Una volta finito, avremo due metà della foto: l'immagine sulla plastica trasparente, che sarà quella da sollevare, e il negativo, che potremo conservare per altre tecniche, come il "Recupero negativi Impossible" (pp. 178-181) **(c)**.

d

e

f

g

h

i

j

k

l

4 La preparazione e pulizia dell'emulsione è il passaggio più importante e richiede pazienza.

Mettiamo la foto nella vaschetta con l'acqua tiepida **(d)**. Dopo la separazione, possono rimanere dei residui sull'immagine. Si tratta di diossido di titanio e risulta più difficile da rimuovere tanto più vecchia è la foto: per questo motivo è meglio applicare la tecnica su foto scattate più recentemente. Lasciamo la foto nell'acqua fino a quando non vediamo che i residui si sfaldano e rimuoviamoli con le dita **(e)**.

I residui più tenaci possono essere rimossi con un pennello morbido, passando la superficie in una sola direzione e senza esercitare una pressione eccessiva. La foto è abbastanza resistente, ma non potrebbe sopportare un movimento troppo deciso e pesante, quindi lavoriamo con calma. Distendiamo l'emulsione verso l'esterno rendendola più liscia possibile, così da riuscire a raggiungere i residui in ogni punto **(f)**.

Può essere d'aiuto tirarla fuori dall'acqua e reimmergerla ripetutamente, tenendola con le dita nella finestra di plastica trasparente.

Durante questa operazione, l'acqua può diventare sporca. Se succede, sostituiamola con altra pulita, avremo una migliore visuale e una migliore pulizia.

Più tempo dedicheremo a questo passaggio, maggiori saranno le possibilità di buona riuscita; se non rimuoviamo completamente i residui chimici, l'emulsione potrebbe non aderire al nuovo substrato e in seguito sollevarsi e rompersi.

5 Una volta eliminati tutti i residui, possiamo staccare l'emulsione dalla plastica. Separiamola con cura dalla finestra usando il pennello, con piccoli movimenti delicati **(g)**. Lavoriamo di buona lena ma metodicamente, partendo dai bordi e andando verso il centro.

Alla fine, l'emulsione galleggerà nell'acqua completamente separata dal suo supporto. A questo punto, non è preoccupante se l'emulsione si ripiega su se stessa.

6 Spostiamola nell'acqua fredda per impedirle di deformarsi (se, al contrario, vogliamo che ciò avvenga per poter aumentare le dimensioni dell'immagine, lasciamo l'emulsione nell'acqua calda, così che, quando le passiamo sopra il pennello, si allarghi sul substrato). Non ci sono rischi a lasciare per alcuni minuti l'emulsione nell'acqua fredda, quindi, a questo punto, non c'è bisogno di fare in fretta.

7 Trasferiamo l'emulsione sull'acetato. Per prima cosa, controlliamo che sia nel verso giusto, stendendola quando è ancora nell'acqua. La parte superiore, che ha colori più vivaci, è quella che dobbiamo appoggiare a faccia in giù sul foglio di acetato.

Una volta pronti, immergiamo parzialmente l'acetato **(h)**, posizionandolo sotto il bordo dell'emulsione, quindi usiamo il pennello per farla salire del tutto sulla plastica. Durante questa operazione, usiamo il pennello per stendere bene l'emulsione. Solleviamo con cautela l'acetato dall'acqua, facendo attenzione a non far scivolare giù l'emulsione e anche a non farla rompere!

8 Dopo aver sollevato la plastica dall'acqua **(i)** continuiamo a usare il pennello per distendere meglio l'emulsione e, se necessario, per eliminare le bolle d'aria e le viscosità rimaste.

Facciamo attenzione a stendere bene i bordi. Più tempo dedicheremo a questa fase, meno ne sprecheremo dopo.

Se necessario, rimettiamo in acqua un angolo dell'emulsione, tenendo il resto fermo sull'acetato prima che scivoli giù. In questo modo, il bordo si sistemerà da solo.

9 Giriamo l'acetato **(j)** e poggiamolo sulla carta. Premiamolo con le dita **(k)** così che l'emulsione sia bene in contatto con la carta in ogni parte della sua superficie.

10 Rimuoviamo l'acetato, anche aiutandoci con il pennello, partendo da uno degli angoli e ripiegandolo delicatamente su se stesso. Usiamo il pennello per eliminare le bolle d'aria che incontriamo **(l)**. Facciamo attenzione che gli angoli del foglio di acetato non vadano a finire sull'emulsione, perché potrebbero strapparla.

11 Se abbiamo problemi con il bordo, che una volta sulla carta tende ad arrotolarsi su se stesso, bagniamo il pennello e infiliamolo sotto al bordo stesso, mettendo il dito sopra l'emulsione per tenerla ferma. A questo punto, tiriamo gentilmente il pennello in fuori e il bordo si distenderà **(m)**.

12 Se vogliamo sovrapporre altre emulsioni su quella già trasferita, dovremo creare una superficie liscia. Se i bordi non sono ben distesi, la sovrapposizione genererà una dorsale attraverso cui potrebbe entrare dell'aria a formare delle bolle che possono causare fissurazioni e distacchi nel tempo. Le pellicole Impossible sono spesse e i bordi tendono ad arrotolarsi. Se non vogliamo sovrapporre più emulsioni, possiamo premere i bordi arrotolati in modo da creare specifiche forme e texture **(n)**.

13 Spennelliamo l'emulsione ancora una volta per eliminare eventuali bolle d'aria o d'acqua, usando la parte laterale della punta del pennello. A questo punto l'emulsione è molto delicata, quindi facciamo attenzione a non strapparla o lacerarla. Lasciamola asciugare, possibilmente tenendo la carta quasi verticale, quindi potremo applicare le rifiniture finali, per esempio colorandola **(o, p)**.v

Andiamo avanti

Proviamo questa tecnica su vetro e poi facciamo una stampa a contatto in camera oscura o una cianotipia. Possiamo anche mettere un'emulsione sollevata su un'altra foto Impossible (come quelle realizzate da Enrique Freaza e Anne Locquen, che vediamo nella pagina a fianco). Le possibilità sono infinite!

Consigli

Durante la fase di asciugatura, soprattutto se abbiamo usato materiali porosi per substrato come la carta da acquerello, certe zone dell'emulsione possono asciugarsi più lentamente, causando la formazione di bolle.

Se si formano queste bolle, usiamo la punta di un bisturi per fare un piccolo buco nell'emulsione e premiamola con le dita per far uscire l'aria. L'apertura, se piccola, sarà praticamente invisibile alla fine.

Durante l'asciugatura, controlliamo ogni 30 minuti se si formano queste bolle.

Una volta terminato, possiamo proteggere l'immagine dai dannosi raggi UV o, in generale, dall'umidità e dai graffi, utilizzando una vernice acrilica in gel mediamente opaca. La funzione di questi gel è quella di rendere più spessa la verniciatura, quindi usiamoli con parsimonia.

Possiamo applicare uno strato sottile all'immagine con un pennello pulito. Conviene coprire tutto il substrato, così che non si noti differenza tra la carta e l'emulsione.

Possiamo utilizzare anche una vernice spray per proteggere l'immagine, ma spesso queste vernici sono leggermente colorate e, inoltre, non prevengono la formazione di crepe altrettanto bene quanto il gel.

m

n

o

p

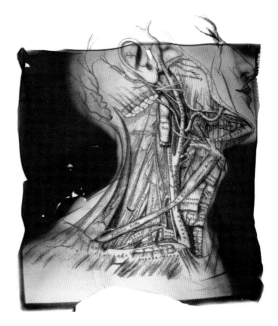

In alto: Anne Locquen, emulsion lift su foto integral. Impossible lift appoggiata su immagine comparativa da *Gray's Anatomy*.
Al centro: emulsion lift di Enrique Freaza.
In basso: Enrique Freaza, dittico di emulsion lift stratificata. Anne Bowerman, *Twins*, immagini Instant Lab stratificate.

Niece-zilla terrorizes the city

Niece-zilla terrorizes the airport!!!

Emulsion Lifting. Pellicole Polaroid Peel-apart

PELLICOLE Polaroid peel-apart
TEMPO 15 minuti
DIFFICOLTÀ Difficile

La tecnica emulsion lifting con pellicole Polaroid Peel-apart (Guida pp. 224-229) è a grandi linee simile a quella illustrata per le pellicole Impossible (pp. 140-145), sebbene con le Polaroid non ci sia bisogno di separare l'immagine ed eliminare i residui di diossido di titanio dal substrato.

Le emulsioni delle pellicole Polaroid Peel-apart sono più sottili delle Impossible, quindi è necessario maneggiarle con estrema cura, considerato anche il costo elevato delle pellicole Polaroid scadute. La maggiore sottigliezza, d'altra parte, rende queste emulsioni più trasparenti e meglio adatte alla stratificazione. Inoltre, le emulsioni Polaroid aderiscono meglio ai substrati, con una minore formazione di bolle d'aria.

Materiali

- Foto Polaroid Peel-apart a colori

- Bollitore

- 2 vaschette per l'acqua

- 1 pennello morbido di 1 cm

- 1 pennello morbido piccolo

- Carta per tempere

- Forbici

- Foglio di acetato (non adatto alla stampa)

Opzionali

- Bisturi per bucare le bolle

- Gel acrilico medio/spray protettivo anti-UV, per proteggere l'immagine finale

Metodo

1 Ritagliamo accuratamente i bordi bianchi della foto. Questi contengono un adesivo che si fissa all'emulsione una volta che iniziamo a sollevarla, lasciando su di essa macchie poco piacevoli e che possono scurire o nascondere le emulsioni sottostanti quando realizziamo una stratificazione.

2 Riempiamo d'acqua bollente la prima vaschetta, poi aggiungiamo dell'acqua fredda finché non riusciamo a immergervi le dita.

3 Immergiamo la foto nell'acqua calda e lasciamola per alcuni minuti. Se vediamo che si formano bolle sulla superficie, aggiungiamo acqua fredda. Se non interveniamo, le bolle possono scoppiare e bucare l'emulsione.

4 Quando i bordi iniziano a sollevarsi, infiliamo il pennello largo sotto l'emulsione stessa e spingiamolo delicatamente verso il centro, scollando il resto dell'emulsione. Non tiriamola mai. Se facciamo fatica a scollarla, lasciamola in acqua più a lungo. Se l'acqua diventa fredda, aggiungiamone di calda.

5 Una volta sollevata completamente, l'emulsione galleggerà nell'acqua. Se notiamo una sostanza gelatinosa chiara attaccata all'emulsione, eliminiamola.

6 Riempiamo la seconda vaschetta con acqua a temperatura ambiente e immergiamoci l'emulsione.

7 Ora seguiamo i passaggi da 5 a 13 del metodo "Emulsion Lifting. Pellicole Impossible" (pp. 143-144). Ripetiamo il procedimento se vogliamo realizzare composizioni di emulsioni come quelle illustrate nella pagina a fianco.

In alto: *Dreamlands Wastelands,*
composizione di emulsioni da pellicole
Polaroid 669 e ID-UV.

In basso: composizione di emulsioni
da pellicole Polaroid 669 e ID-UV.

Emulsion Lifting. Pellicole Fuji Peel-apart

PELLICOLE Fuji Peel-apart
TEMPO 15 minuti
DIFFICOLTÀ Elevata

Le pellicole Fuji Peel-apart FP-100C e FP-100C45, ma non le Instax (Guida, pp. 224-229), si comportano diversamente dalle Polaroid e non hanno quella stessa delicatezza (pp. 146-147). I colori delle Fuji sono decisamente più accesi di quelli delle Polaroid e anche delle Impossible (pp. 140-145), ma le emulsioni non sono altrettanto malleabili, in quanto molto meno gelatinose. Quest'ultimo aspetto può, tuttavia, essere anche un vantaggio: le emulsioni sono meno soggette a strapparsi durante la separazione degli strati, ma allo stesso tempo risultano friabili e delicate, inoltre richiedono maggiore attenzione al momento di fissarle al nuovo substrato. Sono anche meno trasparenti.

Questo metodo ha molte similitudini con quello per la tecnica emulsion lifting con pellicole Peel-apart Polaroid e Impossible, anche se la temperatura dell'acqua del primo bagno deve essere più alta perché l'emulsione si distacchi dal suo substrato.

Materiali

- Foto asciutta da pellicola Fuji peel-apart
- Bollitore
- 2 vaschette per l'acqua
- 1 pennello morbido da 1 cm
- 1 pennello morbido piccolo
- Carta per tempere
- Forbici
- Foglio di acetato (non adatto alla stampa)

Opzionali

- Bisturi per bucare le bolle
- Gel acrilico medio/spray protettivo anti-UV, per proteggere l'immagine finale

Metodo

1 Mettiamo dell'acqua a circa 70 °C in una delle due vaschette e immergiamo la foto a faccia in su.

2 Quando l'emulsione si stacca dal substrato della foto, prendiamo un po' della sostanza adesiva che rimane attaccata a questo. Conserviamola per spalmarla sul nuovo substrato, prima di trasferirci l'emulsione. Possiamo utilizzare come adesivo, da spalmare sulla carta, anche del gel acrilico medio che, tra l'altro, impedisce all'emulsione di arricciarsi.

3 Seguiamo i punti da 7 a 13 del metodo descritto alle pp. 143-144.

In alto: emulsion lift di doppie esposizioni su pellicola Fuji, pitturate e stratificate con smalto per unghie. **Nella pagina a fianco:** Lawrence Chiam: *Living In a Wet Dream*, serie realizzata con pellicole Fuji FP-100C.

Consigli

Quando l'emulsione trasferita si è asciugata, copriamola con del gel acrilico medio per proteggerla nel tempo da crepe e fissurazioni.

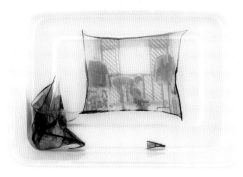

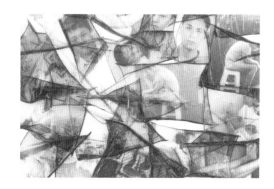

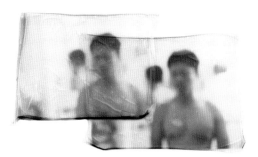

Manipolazione dell'emulsione. Pellicole Polaroid

PELLICOLE SX-70/Time Zero scadute
TEMPO 15-30 minuti
DIFFICOLTÀ Moderata

Questa tecnica è stata molto popolare nei tempi migliori di Polaroid. Molti fotografi affermati hanno utilizzato la manipolazione dell'emulsione per realizzare un'ampia varietà di immagini pittoriche impressioniste, oppure quelle particolari ispirate a Francis Bacon, *Bacon-esque contortions*. Tra questi, Lucas Samaras, che con la sua serie fondamentale, *Photo-Transformations* (1973-1976), ha espanso i confini della fotografia mostrando le potenzialità della manipolazione delle emulsioni in colori sgargianti.

Fotografi contemporanei e fan delle Polaroid hanno continuato su questa strada, arrivando a diverse espressioni stilistiche, che sono per tutti fonte d'ispirazione. Le pellicole Impossible non sono adatte per questo metodo, ma possiamo graffiarne l'emulsione per creare linee e forme, come ci mostrano le immagini di Ritchard Ton (pp. 153-154) e di Chad Coombs (p. 155). La manipolazione dell'emulsione di pellicole Polaroid ci permette di muovere l'intera emulsione e di realizzare quelle immagini incerte e acquose caratteristiche di questa tecnica. Per vedere i diversi stadi della manipolazione di un'emulsione, facciamo riferimento all'immagine *Polamation* di Richard Ton (p. 153).

Purtroppo, le pellicole meglio utilizzabili con questa tecnica sono le SX-70 o le Time Zero (Guida, pp. 224-229), che risultano difficili da trovare, dato che l'ultimo lotto è stato prodotto nel 2007. Se conservate correttamente al freddo, queste pellicole sono ancora utilizzabili. Se vogliamo acquistare delle pellicole Polaroid scadute, rivolgiamoci alle aste online oppure ai rivenditori locali.

Materiali

- Pellicole SX-70/Time Zero (con data di scadenza più recente possibile)
- Fotocamera SX-70 (pp. 44-56)
- Strumenti di manipolazione: bastoncini per la creta, chiodi, cappucci di biro, forcine per capelli, viti, rimuovi cuticole
- Calorifero/piastra/asciugacapelli

Opzionale

- Carta vetrata

Metodo

1 Scattiamo la foto e lasciamola sviluppare completamente tenendola al caldo per circa 15 minuti, così che l'emulsione rimanga morbida e sia più facile manipolarla. Per fare ciò, possiamo usare un asciugacapelli, impostando la temperatura a un livello basso e passandone il getto sulla foto ogni 10 secondi, stando a una distanza di circa 30 cm. Possiamo anche scaldare la foto continuamente per 40 secondi, finché non si è sviluppata completamente. In una giornata calda possiamo lasciare la foto al sole, oppure, d'inverno, lasciarla su un calorifero **(a)**.

Assicuriamoci che la temperatura non sia troppo calda, altrimenti la foto potrebbe arrotolarsi. Se iniziamo a manipolarla troppo presto, l'emulsione potrebbe rompersi sotto la plastica, anche se il risultato potrebbe essere visivamente piacevole.

2 Mettiamo la foto a faccia in giù sulla piastra riscaldante e con un bastoncino da creta a superficie larga ammorbidiamo l'emulsione spandendola per tutta la superficie. Giriamo la foto e continuiamo a manipolare l'emulsione **(b)**, con movimenti larghi e non troppo pesanti, su tutta l'area o solo in determinate zone. Se premiamo troppo, rischiamo di rimuovere l'emulsione completamente e far così apparire il fondo nero.

3 Per lavorare su dettagli minuti usiamo uno strumento più sottile *(c)* con movimenti allungati, in modo da sfumare l'emulsione in fuori. Se vogliamo aggiungere delle texture nelle aree uniformi della foto, appoggiamola sulla carta vetrata e con il bastoncino largo applichiamo dei movimenti allungati, finché non vediamo apparire l'effetto desiderato.

4 Ora possiamo lavorare sui bordi degli elementi presenti nella foto per delinearli. Applichiamo una pressione maggiore, oppure usiamo strumenti appuntiti *(d)* cercando di rimuovere l'emulsione e far apparire il fondo nero.

Se non finiamo la manipolazione in una sola volta, possiamo mettere la foto nel freezer per bloccarla temporaneamente. Prima di riprendere dobbiamo scaldare la foto. Possiamo interrompere la manipolazione più volte.

5 Godiamoci il risultato *(e)*!

Nota

Se usiamo una pellicola scaduta tra novembre 2006 e gennaio 2007, è meglio aspettare almeno 2 ore, dopo lo scatto, prima di iniziare la manipolazione. Polaroid, infatti, ha cambiato i reagenti chimici dei lotti prodotti in quel periodo e il tempo di sviluppo è aumentato parecchio.

Fila in alto: Filippo Centenari,
Shell e *Fish*.
Fila al centro: Toby Hancock,
Marty e *Marcelo*.
In basso da sinistra: Ritchard
Ton, *Root* e *Pensacola Beach*.

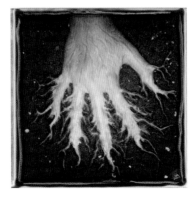

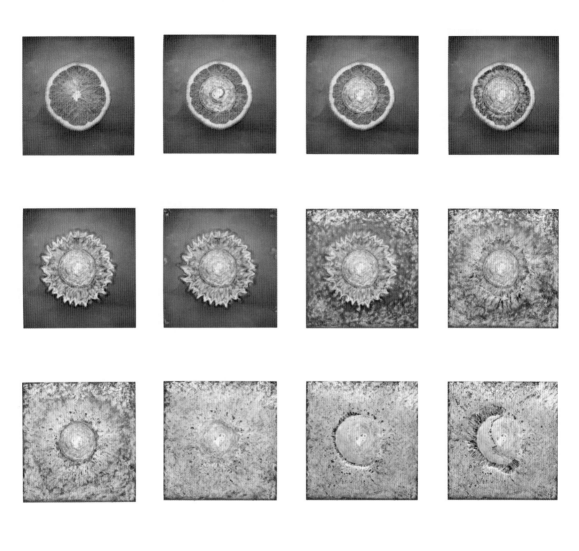

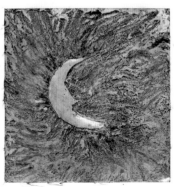

In questa pagina: Ritchard Ton, *Polamation*, foto SX-70 acquisita durante diversi stadi della manipolazione (selezione da una serie di cento immagini).

Manipolazione dell'emulsione. Pellicole Impossible

PELLICOLE Qualsiasi
TEMPO 30 minuti
DIFFICOLTÀ Bassa

a   b

Possiamo manipolare l'emulsione con qualsiasi pellicola Impossible, ma non spostare l'emulsione altrettanto bene come con le Polaroid SX-70 o Time Zero (pp. 224-229).

Per iniziare la manipolazione non è necessario aspettare che la foto sia sviluppata del tutto **(a, b)**. Per tracciare segni evidenti sull'emulsione Impossible dovremo esercitare molta forza. Usiamo uno strumento appuntito durante lo sviluppo per disegnare linee e ghirigori sull'emulsione. Le pellicole Impossible necessitano di un accurato riscaldamento, ma attenzione: un eccessivo calore può modificare i colori dell'immagine.

Sebbene i risultati non siano rimarchevoli come quelli ottenuti con le SX-70 o le Time Zero, questo metodo ci permette di applicare texture e variazioni alle nostre foto. Possiamo manipolare emulsioni Impossible sia a colori sia in bianco e nero.

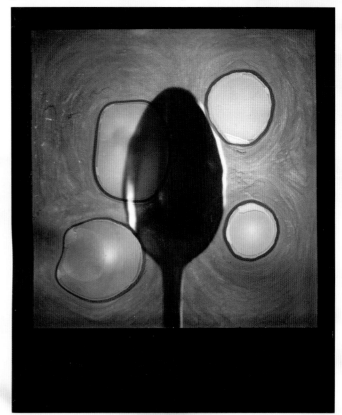

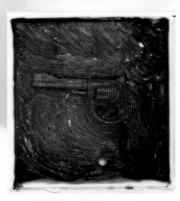

In alto: Ritchard Ton, *Spoon*, manipolazione emulsione di pellicola Impossible PX 100 in bianco e nero.
A destra: Ritchard Ton, *Gun*, manipolazione emulsione di pellicola PX70.

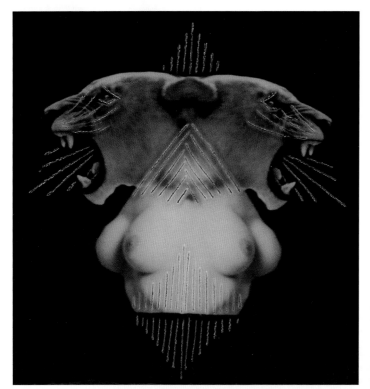

In questa pagina: manipolazioni di emulsione Impossible Project di Chad Coombs.

Finger Painting

PELLICOLE Polaroid/Fuji Peel-apart
TEMPO 2 minuti
DIFFICOLTÀ Moderata

Se cerchiamo una tecnica di manipolazione di pellicole peel-apart (pp. 224-229) che possa essere fatta al volo senza bisogno di acqua, camera oscura o reagenti chimici, il metodo *finger painting* è quello che ci serve.

Questo metodo, che tradotto letteralmente diventerebbe «pittura con le dita», si basa essenzialmente sulla manipolazione dei reagenti chimici che si trovano fra gli strati della fotografia eseguita con le dita, durante la fase di sviluppo. Il risultato è un'immagine acquosa e poco nitida.

Il metodo funziona con pellicole Polaroid scadute, sia in fogli sia in film pack. Possiamo usare anche i film pack Fuji, anche se i risultati sono meno interessanti. Le emulsioni a colori subiscono drammatici cambiamenti a causa della composizione delle pellicole e dei tempi di sviluppo più lenti. Sebbene il metodo sia facile, per avere risultati confortanti è necessario fare un po' di pratica. Pellicole con date di scadenza molto diverse possono dare risultati considerevolmente differenti, a causa della non identica viscosità dei reagenti.

Materiali

- Pellicole Peel-apart (a colori)
- Fotocamera compatibile o slide printer
- Asciugacapelli o calorifero

Metodo

1 Scattiamo una foto. Immagini molto colorate e con elementi grafici rendono meglio. Molti dettagli minuti vengono distrutti durante la manipolazione.

Estraiamo la pellicola dalla fotocamera per dare il via allo sviluppo **(a)**.

2 Mettiamo la foto a faccia in giù su una superficie abbastanza dura **(b)**.

3 Manipoliamo l'emulsione, prima trascinando le dita con una pressione leggera sul dorso della foto, poi aumentando la pressione a mano a mano **(c)**. Usiamo meno forza nelle aree dove vogliamo vedere più dettagli, e una forza maggiore in zone come i bordi.

Possiamo continuare la manipolazione finché lo sviluppo non è completato. A seconda dell'età della pellicola e delle condizioni ambientali, possono volerci due minuti. Per rendere i colori più intensi e favorirne la separazione, dobbiamo scaldare l'emulsione, usando un asciugacapelli o mettendo la foto su un calorifero caldo per 15-20 secondi dopo aver finito la manipolazione.

4 Prendiamo la foto e separiamone gli strati **(d)**. Vedremo che il negativo mostra evidenti i segni della manipolazione e che i reagenti chimici si sono distribuiti non uniformemente **(e)**.

5 Per finire, lasciamo asciugare la foto.

6 Il risultato **(f)**! Notiamo le variazioni del colore all'interno dell'immagine. Le aree più chiare sono quelle dove la pressione è stata maggiore.

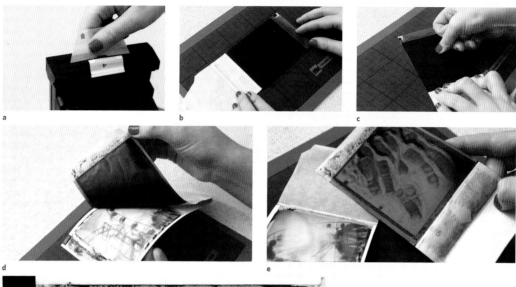

a

b

c

d

e

f

Nota

Gli effetti più intensi si hanno quando manipoliamo la foto all'inizio dello sviluppo, mentre quelli più smorzati quando i colori hanno avuto più tempo per formarsi nell'intera foto. Più pressione esercitiamo, maggiori saranno le variazioni di colore.

Dato che lavoriamo mentre i pigmenti stanno migrando fra negativo e positivo (pp. 42-43), ne limitiamo lo sviluppo in certe mentre lo intensifichiamo in altre. Questo dà luogo al caretteristico aspetto striato che si ottiene con questa tecnica.

Quando esercitiamo una pressione eccessiva e gli strati della pellicola si muovono, disallineandosi (vedi Interrupted Processing, pp. 206-209), avremo delle zone sfumate o offuscate. Questo può dare luogo a un leggero effetto *offset*.

Consigli

Possiamo usare degli strumenti per realizzare segni più marcati, per esempio il cappuccio di una penna per fare delle linee o una gomma per creare degli sbaffi.

Facciamo attenzione a non premere troppo forte, altrimenti potremmo provocare il distacco degli strati e bloccare perfino lo sviluppo della foto.

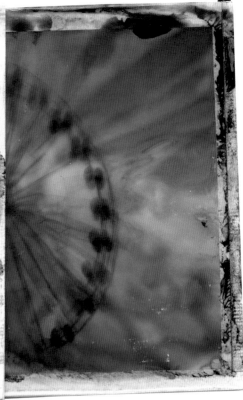

In alto: Maija Karisma, *Papaver Triptych*, finger painting con pellicola Polaroid 669.
Sopra: Ritchard Ton, *Wellenflung*, composizione di due foto, separate e modificate con finger painting.

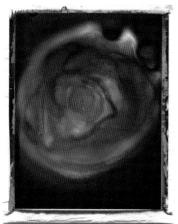

Fila in alto: Maritza de la Vega. David Salinas, *Gas Station*, manipolato con pellicola Polaroid ID-UV.

Fila al centro: Ritchard Ton, *Untitled*. David Salinas, *Polaroid Jet*, manipolate con pellicola Polaroid ID-UV.

A destra: finger-painting su pellicola Polaroid 669.

Scratching and Scoring

PELLICOLE Qualsiasi
TEMPO 10 minuti
DIFFICOLTÀ Bassa

Questa tecnica consiste nel graffiare e scorticare l'emulsione, conferendo all'immagine un aspetto particolare e non molto definito. Dopo la manipolazione possiamo usare l'immagine per altre tecniche illustrate in questo manuale. Inoltre, lo *scratching and scoring* può essere usato anche per recuperare foto non riuscite.

Per prima cosa è necessario raggiungere l'emulsione della nostra foto. Sebbene sia più facile applicare questo metodo con le pellicole peel-apart, dove l'emulsione non è coperta da plastica, possiamo lavorare anche con foto integral (Guida, pp. 224-229). Per separare la plastica dall'emulsione di una foto integral, rifacciamoci al metodo Transparency/ Dry Lift (pp. 96-99). Per evitare che l'emulsione si strappi in modo incontrollato, aspettiamo che la foto sia completamente asciutta prima di iniziare.

Materiali

- Immagine integral
- Bisturi e superficie di taglio
- Strumenti per graffiare e scorticare (bigodini, cappucci penne, spatole, cucchiaini, unghie ecc.)
- Nastro adesivo chiaro

Materiali

a

b

c

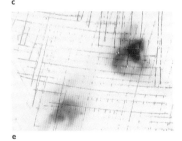

d

e

Metodo 1

1 Con la foto voltata a faccia in giù, passiamo il bisturi sotto il bordo superiore per aprire la cornice **(a)**.

2 Sollevato questo bordo **(b)** possiamo usare le dita per scollare il resto della cornice **(c)**.

3 Con uno degli strumenti graffiamo l'emulsione del pannello frontale **(d)**. Dove l'emulsione è stata rimossa, è possibile vedere attraverso la foto **(e)**.

4 Una volta finito, uniamo di nuovo i due strati della foto fissandoli con il nastro adesivo sul retro. Se vogliamo, prima di unirli possiamo inserire tra i due un foglietto colorato, oppure colorare direttamente lo strato bianco di diossido di titanio.

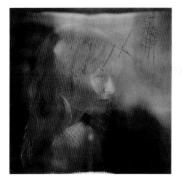

In alto: scratched manipulation di Zora Strangefields. **A destra:** pellicola Polaroid Spectra originale. Parte dell'emulsione è stata rimossa, colorata con matite acquerellate e poi attaccata su carta da origami.

Metodo 2

Questo metodo permette di recuperare le foto non riuscite, anche se l'immagine non è nemmeno abbozzata. Una volta rimosso il fondo come nel Metodo 1, non lavoriamo sull'emulsione ma direttamente sul fondo bianco. Possiamo graffiare via il diossido bianco, in modo che compaia il negativo nero sottostante. Con le pellicole a colori vedremo apparire le diverse cromie del negativo. Oltre a semplici graffiature, possiamo disegnare sul diossido le forme e figure che più ci piacciono. Usiamo il nastro adesivo sul retro per sigillare di nuovo i due strati della foto e avremo il nostro disegno stilizzato su Polaroid!

Chad Coombs (p. 155) scansiona i negativi non trasferiti delle sue manipolazioni oppure disegna direttamente sullo strato con il diossido di titanio.

Polaroid Decay

PELLICOLE Qualsiasi pellicola integral
TEMPO 5 minuti di preparazione, 3 mesi per il deterioramento
DIFFICOLTÀ Bassa

Ci sono volte in cui anche il peculiare fascino delle fotografie istantanee non riesce a mascherare il fallimento del nostro scatto. Anziché buttare queste foto, mettiamole da parte e conserviamole con cura perché potrebbero tornarci utili per futuri progetti. Ci sono numerosi utilizzi potenziali per le istantanee non riuscite.

Molti fotografi hanno preso le proprie e le hanno usate come basi su cui lavorare. La serie *Abstract Analog Texture* (p. 165) di Daniel Meade mostra diverse pellicole istantanee non riuscite che sono state immerse in una miscela d'acqua e candeggina per prolungati periodi. Le variazioni dei colori nelle pellicole sono sorprendenti e mostrano le peculiari caratteristiche chimiche di ogni emulsione.

La serie di Louis Little *Sunken Polaroids* (p. 164) è il risultato dei suoi esperimenti con pellicole Impossible. I primi lotti delle pellicole Impossible davano risultati imprevedibili e non costanti, così Little ha deciso di collezionare le proprie foto non riuscite per trasformarle in seguito in bellissimi lavori artistici astratti. Il metodo in sé è molto semplice, ma richiede molta pazienza.

Metodo

1 Mettiamo la foto a faccia in giù nel contenitore e appoggiamoci sopra il nostro peso per non farla muovere.

2 Riempiamo il contenitore con acqua fredda coprendo completamente la foto **(a)** e mettiamo il coperchio assicurandoci che sia ben chiuso, in modo che con il tempo non fuoriescano odori sgradevoli.

3 Mettiamo il contenitore in un posto ben ventilato. Già dopo qualche settimana la foto risulterà notevolmente modificata. Il fondo nero avrà iniziato a decomporsi dando all'acqua un aspetto "paludoso" **(b)**. Controlliamo regolarmente i progressi. Non cambiamo l'acqua, in quanto in essa ora sono disciolti i reagenti chimici necessari al deterioramento dell'immagine.

4 Quando saremo soddisfatti del risultato ottenuto, sgoccioliamo la foto, ripuliamo i bordi, che saranno rimasti pressoché intatti, e lasciamo asciugare. Possiamo tenere la foto su una grata durante l'asciugatura, in modo che non scivoli giù.

Ora non ci resta che ammirare il nostro capolavoro!

Materiali

- Foto istantanee integral

- Grande contenitore di plastica con coperchio

- Un peso che possa stare in acqua (pietra, mattone)

- Una zona ben ventilata (le pellicole tendono a puzzare con il passare del tempo)

Nota

Questo procedimento porta al deterioramento dei pigmenti e dell'emulsione dell'immagine, a causa dell'acqua che filtra attraverso le aperture di ventilazione delle foto autosviluppanti. L'emulsione alla fine si crepa e si arriccia su se stessa. Possiamo realizzare effetti particolari aggiungendo all'acqua candeggina, altri prodotti chimici o coloranti.

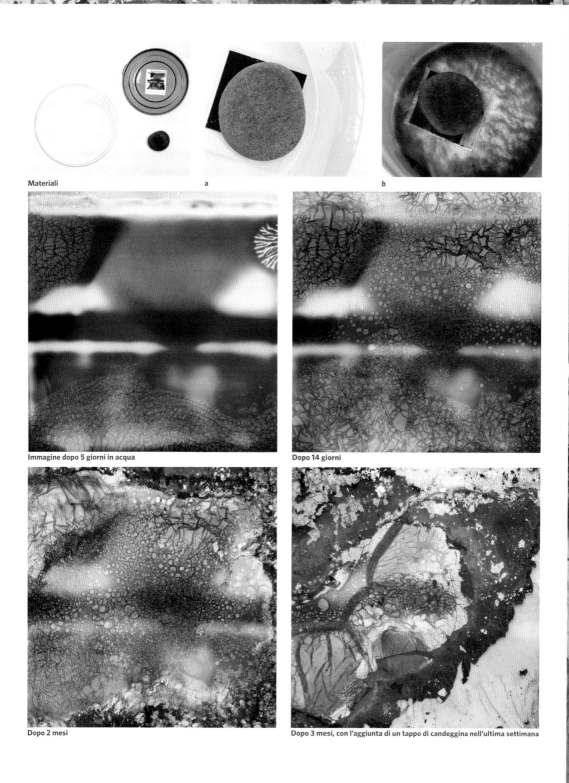

Materiali

a

b

Immagine dopo 5 giorni in acqua

Dopo 14 giorni

Dopo 2 mesi

Dopo 3 mesi, con l'aggiunta di un tappo di candeggina nell'ultima settimana

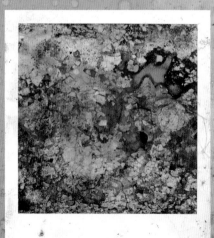

In questa pagina: serie *Sunken Polaroids* di Louis Little, foto su pellicole Impossible lasciate deteriorare per tre mesi.

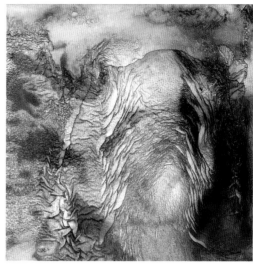

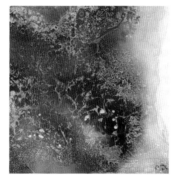

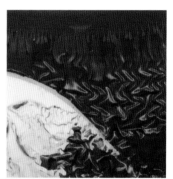

In questa pagina: serie *Abstract Analog Textures* di Daniel Meade. Ogni immagine è stata lasciata immersa in acqua e candeggina per qualche settimana.

Polaroid nel microonde

PELLICOLE Impossible
TEMPO 15 minuti
DIFFICOLTÀ Bassa

Le pellicole Impossible sono particolarmente sensibili al calore ed è possibile forzarne lo sviluppo sfruttando questa caratteristica. Possiamo usare il vapore emesso da un bollitore, anche se come risultato avremo dei colori virati verso il giallo/arancione e un aspetto acquoso.

Possiamo portare agli estremi questa sensibilità al calore utilizzando un forno a microonde, oppure tostando o bruciando una foto istantanea: il risultato sarà inaspettato e unico.

Sebbene ci siano molte opzioni per riscaldare le foto Impossible, in questa guida ci focalizzeremo sull'uso del microonde. È importante ricordare di usare un forno poco potente e possibilmente economico, perché le pellicole integral (Guida, pp. 224-229) contengono fogli metallici che è possibile rechino danni al microonde. Seguendo i passaggi di questo metodo, dovremmo essere in grado di controllare quanto più possibile il risultato finale (e di minimizzare i potenziali danni), ma ciò non riduce del tutto il rischio.

Materiali

- Foto Impossible appena scattata

- Microonde con potenza variabile

- 2 lastre di vetro grandi il doppio della foto

- Panno in microfibra o canovaccio da cucina/cartone delle stesse dimensioni dei vetri

- Contenitore adatto al microonde o un piatto grande abbastanza da contenere perfettamente in piano il materiale assemblato

- Molle/guanti da forno

Opzionali

- 2 mollette di plastica senza parti in metallo

Metodo

1. Prepariamo tutto il materiale prima di iniziare. Appena scattata la foto, trasferiamola velocemente nel microonde.

2. Bagniamo uno dei vetri e copriamolo con il panno in microfibra. Mettiamo la foto a faccia in giù sul vetro *(a)* e bagniamo anche questa, quindi copriamola con il secondo vetro. Versiamo acqua sui bordi del sandwich che abbiamo formato perché se ne intrappoli un po' fra le lastre di vetro. Se le abbiamo, usiamo le mollette di plastica per tenere il tutto assieme.

3. Inseriamo l'insieme nel microonde. Impostiamo una potenza iniziale attorno ai 160 W, che potremo portare a 340 W se vediamo che alla foto non succede nulla. Aumentando gradualmente la potenza abbiamo un maggior controllo *(b)* e dovremmo riuscire a minimizzare i rischi di danneggiare il forno.

4. Impostiamo un tempo che vada da 60 a 120 secondi *(c)* e facciamo partire il microonde. All'interno del forno possono vedersi delle scintille. Se diventano eccessive, spegniamo e togliamo le lastre di vetro dal forno, quindi versiamo acqua tra di loro per evitare che la foto si asciughi troppo.

5. Guardiamo la foto attraverso il vetro del microonde *(d)* e, una volta soddisfatti del risultato, estraiamo il sandwich usando le molle o i guanti. La foto dovrebbe essere del

tutto sviluppata e quindi potremo vedere emergere l'immagine.

6 Piccole aree vorticose che possono apparire sono il risultato della scissione della foto nel microonde. L'acqua è filtrata e ha rimosso l'emulsione **(e)**. Se il risultato ci piace e vogliamo accentuarlo, versiamo altra acqua sulle crepe e incliniamo la foto da una parte e dall'altra. Possiamo anche inserire la punta di un pennello nelle aperture e muovere l'emulsione. Una volta soddisfatti dell'effetto mettiamo la foto ad asciugare e godiamoci il risultato!

Nota

Se vogliamo provare questa tecnica con una pellicola peel-apart, basta metterla nel microonde a una potenza medio-bassa per alcuni secondi.

Consigli

Se i bordi bianchi della foto si bruciano o danneggiano, ripieghiamo su di essi il panno umido, come una coperta, prima di posizionare il secondo vetro **(f)**. Le bruciature, dovute a un sottile foglio che si trova nascosto nel bordo, vengono evitate dalla maggiore umidità così creata. Usiamo questo accorgimento per proteggere alcune zone della foto **(g)** in modo da mantenerle meno "bruciate" **(h)**.

Materiali

a

b

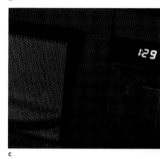

c

d

e

f

g

h

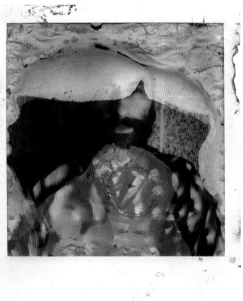

In senso orario: due foto elaborate da
Oliver Blohm. Due esempi ottenuti
dall'autrice. Foto dai bordi bruciati con
una fiamma, di Brandon C. Long.

In basso: Impossible PX elaborata da Brian Henry **A destra:** Amalia Sieber ha bruciato parzialmente una foto da film pack con un fiammifero dopo che è stata passata nel microonde

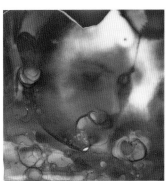

In alto a sinistra: Daniel Meade alterna freddo e caldo (anche usando una fiamma ossidrica) **In alto a destra:** Polaroid elaborata da Enrique Freaza

Polaroid Destruction

PELLICOLE Polaroid Colour/Fuji FP-100C Peel-apart
TEMPO 10-20 minuti
DIFFICOLTÀ Bassa

È possibile realizzare interessanti lavori artistici, unici nel loro
genere, usando semplici prodotti per la pulizia domestica. Si tratta
di sperimentazione allo stato più semplice e i risultati sono tanto
imprevedibili quanto inaspettatamente belli.

Le pellicole Peel-apart (Guida, pp. 224-229) danno spesso gli effetti
più affascinanti quando vengono manipolate grazie all'accessibilità
delle sostanze chimiche e alla stratificazione dello sviluppo dei colori.
Possiamo lavorare su queste immagini mentre è in corso lo sviluppo,
oppure una volta che è completato. È una tecnica utilizzabile anche
con foto vecchie di mesi o anni.

Con semplici prodotti come i detergenti per forni, candeggianti, alcol o
cristalli per sgorgare le tubature è possibile realizzare effetti psichedelici,
che prendono forma quando tali sostanze si insinuano fra gli strati dei
pigmenti.

Apriamo gli armadi del bagno e della cucina alla ricerca di quello
che ci serve. Differenti concentrazioni dei prodotti danno risultati
alquanto diversi nell'immagine finale. Le maggiori variazioni dei colori si
ottengono con le pellicole Fuji FP-100C.

In questa pagina: pellicole Polaroid
669 e ID-UV manipolate con
candeggina e detergente per forni.

Materiali

- Pellicole peel-apart

- Prodotti (candeggina,
  acetone, alcol e detergente
  per forni)

- Pennelli

- Guanti di gomma e occhiali
  protettivi

Metodo 1 (Fuji FP-100C)

1 Prepariamo una bacinella d'acqua vicino alla postazione di lavoro per fermare la reazione, se necessario. Applichiamo con il pennello una soluzione chimica (per esempio acqua e candeggina 15:1) su determinate zone della foto **(a)** e aspettiamo alcuni minuti per vedere il risultato. Per un effetto più marcato possiamo lasciare la soluzione sulla foto più a lungo oppure aumentare la concentrazione.

2 Proviamo anche a spruzzare il negativo **(b)** (Impossible Negative Reclamation, pp. 178-181).

3 Fermiamo la reazione immergendo la foto nell'acqua, poi lasciamola asciugare **(c)**.

Metodo 2 (Polaroid Colour Peel-apart)

1 Mettiamo candeggina pura su certe aree della foto **(a)**. Nell'immagine, una Polaroid 669, che risulta più schiarita rispetto alle variazioni di colore viste sopra.

2 Aggiungiamo dei cristalli di sgorganti e spalmiamoli con un pennello **(b)**.

3 Sciacquiamo la foto e lasciamola asciugare per ammirare il risultato (a destra).

a

b

c

a

b

In alto: Brian Henry ha immerso una Polaroid 669 in una soluzione calda d'acqua e candeggina, quindi ha aggiunto cristalli di disgorgante.

A destra: Austin TX ha immerso una foto Fuji FP-100C, durante lo sviluppo, in una miscela volatile di acido cloridrico e alluminio.

In alto: scatto su Fuji FP-100B di Brian Henry. A questa immagine, separata parzialmente, è stata aggiunta acqua e gli strati sono stati premuti di nuovo assieme. È stata applicata la tecnica Fuji *negative bleaching* e l'immagine finale è stata scansionata attraverso il negativo, senza che vi fosse stata la separazione.

In alto e a destra: altri esperimenti di Brian Henry.

Recupero negativi Fuji

PELLICOLE Fuji FP-100C Peel-apart
TEMPO 15-20 minuti
DIFFICOLTÀ Bassa

Negativo candeggiato di doppia
esposizione Fuji FP-100C invertito con
Photoshop.

Nelle pellicole Fuji Peel-apart (Guida, pp. 224-229) troviamo un negativo
a colori nascosto che può essere recuperato e usato in alcune tecniche,
inclusa la scansione e la stampa con ingranditore in camera oscura.
Quando scansionato, il negativo rivela deliziosi dettagli, in quanto ha
una risoluzione maggiore rispetto al suo positivo.

Pulire i negativi Fuji con la candeggina è semplice. In questa guida
passo per passo abbiamo usato una pellicola Fuji FP-100C che ha dato
un negativo a colori, ma possiamo utilizzare anche pellicole in bianco
e nero. Sebbene non siano altrettanto versatili o affidabili quanto le
diapositive E6 o C-41 (standard colour), possiedono qualità uniche.

Materiali

- Lastra di vetro almeno 2,5 cm
  più lunga e larga del negativo

- Candeggina (ipoclorito
  di sodio)

- Forbici

- Pennello morbido

- Nastro adesivo

- Guanti di gomma

- Acqua pulita

Opzionale

- Carta da cucina

Metodo

1. Rimuoviamo dal negativo
tutti i residui di carta **(a)**.

2. Fissiamo a faccia in giù
il negativo al vetro (deve
rimanere verso di noi la parte
opaca nera). Copriamo i bordi
del negativo per 2-3 mm, in
modo da non ostruire l'area
immagine e allo stesso tempo
fissarlo saldamente al vetro
per impedire che la candeggina
possa infiltrarsi e arrivare al lato
del negativo con l'immagine,
rovinandola **(b)**.

3. Proteggiamo l'area di lavoro
con un telo di plastica per non
rovinarla. Prendiamo una larga
bacinella con acqua pulita
e carta da cucina.
  Versiamo un cucchiaino
di candeggina sul negativo e
allarghiamolo delicatamente
con il pennello finché non risulta
interamente coperto **(c)**.

4. La copertura nera inizierà
subito a scollarsi, formando
una gelatina nera. Spalmiamo
questa gelatina uniformemente,
facendo attenzione a non
rovinare il negativo, che ora
è assai delicato **(d)**.

5. Dopo un paio di minuti
asportiamo con molta cura la
gelatina con la carta da cucina,
facendo attenzione a non
rimuovere il nastro adesivo.
Residui ostinati possono essere
eliminati con il pennello **(e)**.
Ripetiamo il candeggio
se necessario.

6. Una volta pulito il negativo,
sciacquiamolo con l'acqua pulita
(f), rimuoviamo il nastro **(g)**
e stacchiamolo dal vetro.

a

b

c

d

e

f

g

h

i

7 Tenendo il negativo controluce, possiamo vedere che ci sono ancora residui di prodotti chimici sul lato immagine **(h)**. Rimuoviamoli, immergendolo in acqua pulita tiepida.

8 Una volta che il negativo è completamente pulito, appendiamolo ad asciugare **(i)**. Possiamo conservarlo in buste di carta acid-free per archivio o nelle buste 5"x4" apposite per negativi, acquistabili nei negozi che vendono prodotti per la camera oscura, anche online.

Andiamo avanti

Possiamo scegliere di stampare in camera oscura il negativo a colori in bianco e nero. In questo caso, dobbiamo aumentare il contrasto usando un filtro rosso. Possiamo compensare la tinta verde del negativo utilizzando un filtro magenta. La stampa finale potrebbe presentare striature e macchie. In alternativa, scansioniamo il negativo e convertiamolo con Photoshop.

Consigli

Potremmo pulire il negativo senza usare il vetro e il nastro. Estraiamo la foto dalla macchina e aspettiamo che si sviluppi, quindi puliamo il dorso nero della foto con la candeggina senza separare gli strati. Quando li divideremo, avremo il positivo e un negativo pulito. Se puliamo il dorso prima che lo sviluppo sia finito, otterremo una solarizzazione, che può anche essere localizzata solo a certe zone di nostra scelta.

In senso orario: Scott McClarin, negativo pulito di Fuji FP-100C, invertito in Photoshop. Sean Rohde, negativo pulito di Fuji FP-100C. Phillippe Bourgouin, negativo pulito e invertito di una doppia esposizione fatta con pellicola Fuji FP-100C.

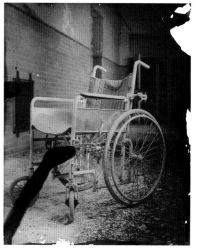

In senso orario: Enrique Freaza, negativo pulito, scansionato e invertito di doppia esposizione su FP-100C. Due scatti di Brian Henry (il primo su FP-100B, il secondo su FP-100C), entrambi i lati candeggiati. Ade G. Capa, scansione di negativo Fuji.

Recupero negativi Impossible

PELLICOLE Impossible
TEMPO 15 minuti
DIFFICOLTÀ Moderata

Recuperare i negativi Impossible è una tecnica piuttosto semplice. I risultati migliori si ottengono con foto che hanno un elevato contrasto di luci e ombre, che in pratica danno negativi più graffianti, ma può essere usata qualsiasi immagine Impossible. L'importante è che sia stata scattata recentemente, così che il diossido di titanio non abbia avuto il tempo di indurirsi troppo e sia ancora possibile rimuoverlo. Recuperare i negativi è utile anche con le foto che scartiamo, dato che la qualità del negativo è decisamente superiore a quella del positivo. In questo tutorial utilizziamo una pellicola Impossible a colori, ma vanno bene anche quelle in bianco e nero, come spiegato nella nota a p. 180.

Materiali

- Foto Impossible sviluppata
- Forbici
- Guanti di gomma
- Candeggina
- Contenitore in plastica
- Pennello
- Acqua

Nota

I negativi Impossible possono essere scansionati, ma non usati per realizzare stampe con l'ingranditore in camera oscura.

Metodo

1 Tagliamo via 1-2 mm di bordo dalla foto e separiamo la finestra frontale dal fondo. Se non siamo sicuri di come fare, seguiamo le istruzioni del metodo Transparency/Dry Lift (pp. 96-99). Togliamo tutto tranne lo strato bianco che ricopre il negativo.

2 Indossiamo i guanti e facciamo scorrere dell'acqua tiepida sul negativo, rimuovendo con le dita, o con un pennello, lo strato bianco di diossido di titanio (**a**). Vedremo così apparire un'immagine poco definita (**b**). Fermiamoci quando il negativo avrà assunto una colorazione viola-marrone chiaro (**c**). Eventuali aloni saranno eliminati nel prossimo punto.

3 Primo candeggio. Diluiamo nel contenitore un tappo di candeggina con 10 di acqua. Versiamo la soluzione sul negativo oppure distribuiamola con un pennello e, senza esagerare, strofiniamo la superficie.

L'immagine dovrebbe risultare più contrastata e assumere una colorazione giallo-bruna (**d**). Basteranno pochi secondi. Una volta scansionata e invertita, avrà una colorazione ciano-violacea.

4 Laviamo via accuratamente il candeggiante dal negativo. Se vogliamo, possiamo fermarci qui e farlo asciugare.

5 Secondo candeggio. Questa fase rende il negativo più luminoso e ne aumenta il contrasto. La colorazione diventerà verde-viola, e una volta invertita risulterà giallo-lilla (**e**).

6 Secondo risciacquo. Irroriamo bene il negativo per fermare il candeggio. Se vogliamo un risultato imprevedibile e pasticciato **(f)**, non è un passaggio necessario.

7 Terzo candeggio. Questa è la fase più delicata e, se lasciamo la soluzione di candeggina sul negativo troppo a lungo, l'immagine sparirà completamente. Il negativo assume una colorazione ciano **(g)** che dopo l'inversione diventa rosso-magenta **(h)**.

8 Terzo e ultimo risciacquo. Eliminiamo tutto il candeggiante dal negativo, altrimenti potremmo perderlo completamente **(i)**, dato che la candeggina brucia l'immagine fino al fondo nero di plastica.

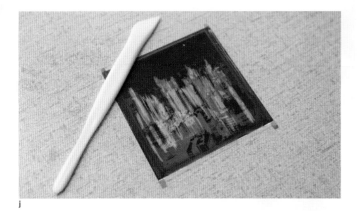

Possiamo graffiare il negativo a un livello intermedio, in modo da lasciar trasparire il colore sottostante nelle zone maneggiate. Modificando la pressione dello strumento, avremo un effetto variato **(j)**.

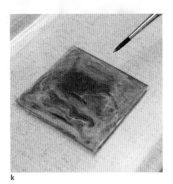

Versando candeggina pura sul negativo **(k)** avremo un'eliminazione dei vari strati troppo veloce per essere controllata. Al posto dell'immagine rimarranno delle macchie nere **(l)**. Il risultato può piacere, ma sciacquiamo la foto in fretta per non cancellare tutta l'immagine.

I negativi in bianco e nero richiedono solo un candeggio. Dato che la loro emulsione è più delicata, l'immagine può scomparire in fretta, lasciando solo il fondo nero.

Questo può aiutare a conferire all'immagine finale un aspetto invecchiato e di trascuratezza **(m)**.

Con la completa immersione del negativo, si dissolve anche il fondo nero. Per assicurarci che i residui vadano a finire sul fondo del contenitore, teniamo il negativo in piedi nella soluzione.

Iniziamo con una soluzione blanda, 1 parte di candeggina e 30 di acqua, lasciando il negativo immerso per 30-60 secondi prima di toglierlo e risciacquarlo. Passiamo delicatamente un pennello sulla superficie per rimuovere lo strato colorato.

Una volta che avremo una tinta unita in tutto il negativo, iniziamo un nuovo candeggio, ma questa volta lasciamolo immerso per alcuni minuti o finché il colore non cambia di nuovo. Ripetiamo ancora una volta il candeggio per arrivare al livello finale.

Possiamo convertire in positivo il nostro negativo con un Instant Lab e ribaltare il processo di scansione. Se abbiamo un'immagine digitale positiva, possiamo invertirla in Photoshop e trasferirla a uno smartphone da usare in abbinamento con l'Instant Lab. Avremo così il negativo Impossible che diventa positivo e la trasparenza con l'immagine negativa. Utilizziamola per creare stampe cianotipiche positive per contatto.

Dall'alto: due negativi a colori candeggiati di Andrew Kua. Negativi candeggiati di Susanne Klostermann. Candeggio selettivo di negativo Impossible 8"x10", invertito digitalmente, di Philippe Bourgoin.

Negative Clearing

PELLICOLE Polaroid 55, 665 e New 55
TEMPO 10-30 minuti
DIFFICOLTÀ Moderata

L'introduzione di pellicole istantanee positivo/negativo fu un passo importante per Polaroid, un salto di livello che le permise di entrare con successo nel mondo della fotografia professionale, un mercato che aveva fino ad allora considerato le fotocamere Polaroid poco più che giocattoli.

Queste pellicole hanno affrancato Polaroid dal legame con le ridotte dimensioni e hanno permesso di usare un negativo trasparente per la stampa in camera oscura senza quell'elemento di incertezza presente nel processo di sviluppo delle pellicole.

Le pellicole positivo/negativo erano disponibili solo in bianco e nero nei formati 5"x4" e 8"x10" in film pack e in foglio. Le migliori erano le Type 55 in fogli 5"x4" e le Type 665 in film pack. Entrambe avevano una gamma tonale notevole e una grana estremamente fine e non c'è da meravigliarsi se un fotografo come Ansel Adams la usò spesso per realizzare i suoi paesaggi superbamente dettagliati in grande formato.

Sebbene molto rare, possiamo trovare ancora pellicole 665 e 55 online. A meno che non si abbia accesso a una fotocamera 5"x4", le pellicole 665, anche se assai costose, sono la scelta migliore se vogliamo sfruttare l'elevata nitidezza dei negativi.

Per usare le Type 665 è preferibile avere una Polaroid 180 o 195, che offrono il maggior controllo manuale. Le fotocamere automatiche sono state progettate per dare positivi bene esposti, piuttosto che negativi accurati. Se le utilizziamo, ricordiamoci di impostare il controllo Chiaro/Scuro su Chiaro, perché il negativo ha una sensibilità ISO diversa da quella del positivo. La Polaroid 665 è tarata a 80 ISO, ma se vogliamo ottenere un negativo pienamente utilizzabile dobbiamo sovraesporre fra 30 e 50 ISO.

Sebbene le pellicole Type 665 e Type 55 siano fuori produzione, la New 55, fondata alcuni anni fa per colmare il vuoto lasciato dalla fine della Polaroid, produce le pellicole 5"x4" in bianco e nero (New 55), che hanno una chimica interamente nuova e molto più ecocompatibile rispetto alla Polaroid Type 55. Sebbene la New 55 sia ancora in fase di sviluppo, i primi test hanno mostrato ottime risposte a livello di immagini positive e negativi decisamente precisi, ottimi per realizzare interessanti cianotipie (pp. 190-195).

Se siamo abituati a lavorare con le vecchie pellicole Polaroid, facciamo attenzione perché le New 55 presentano qualche anomalia e non si sviluppano nello stesso modo delle Polaroid. La sensibilità ISO e i tempi di sviluppo variano da uno stock all'altro. Facciamo riferimento al sito Web di New 55 (www.new55.net) e leggiamo i dati sulla confezione della pellicola per scoprire le caratteristiche del lotto di produzione che stiamo usando. Nonostante i risultati siano un po' imprevedibili, ci sono degli effetti collaterali interessanti legati all'attuale chimica della pellicola, come per esempio la facilità di solarizzare i negativi. Se amiamo le opere di Man Ray, questa è la pellicola che fa per noi.

Come usare le pellicole in fogli

1 Inseriamo la pellicola in un holder 545 controllando che sia nel verso giusto. Assicuriamoci che il selettore sul retro dell'holder sia in posizione "L" **(a)**. Spingiamo avanti la confezione fino a sentire il clic, controllando che la parte sensibile sia rivolta in fuori, in modo che venga a trovarsi verso l'obiettivo una volta inserita nella fotocamera **(b)**. Inseriamo l'holder nella macchina.

2 Tiriamo in fuori la copertura finché non si ferma. La pellicola è ora in posizione per l'esposizione.

3 Dopo aver scattato la foto, spingiamo la copertura verso l'interno, riportandola nella posizione iniziale **(b)**.

4 Per sviluppare la pellicola spostiamo il selettore dell'holder su "P". Per spandere i reagenti chimici dobbiamo prendere l'estremità della copertura della pellicola e tirarla in fuori con un movimento regolare e fluido finché non si ferma. Attendiamo che passi il tempo necessario allo sviluppo.

a

b

Pulire i negativi Polaroid Type 665 e 55

Materiali

- Pellicole Polaroid 665/55
- Guanti di gomma
- Maschera respiratoria
- Solfito di sodio (polvere)
- Acqua (meglio se distillata)
- Capacimetro
- Bacinella fotografica
- Termometro
- Pinze
- Filo e mollette per appendere i negativi
- Kodak Rapid Fixer (parte B)

Metodo

1 Mettiamo i guanti e la maschera e facciamo sciogliere il solfito di sodio in acqua tiepida nel capacimetro, in modo da ottenere una soluzione al 18% (453 g di polvere in 2 l di acqua). Mescoliamo, poi lasciamo raffreddare la soluzione fino a 21 °C. Se non possiamo usare la bilancia, sciogliamo circa 8 cucchiai da tavola di polvere in ogni litro d'acqua (1 cucchiaio equivale a circa 20-25 g).

2 Immergiamo il negativo nella soluzione tenendo l'emulsione verso l'alto. Agitiamo per 2 minuti ca., usando le pinze apposite e facendo attenzione a non toccare con queste l'area immagine, ma solo i bordi del negativo, quindi estraiamolo.

3 Mettiamo il negativo sotto l'acqua corrente per 5 minuti. In alternativa, mettiamolo in una bacinella con acqua e agitiamolo per 20 secondi ogni minuto, ricordandoci di cambiare l'acqua a metà risciacquo.

4 Per evitare che il negativo si graffi con l'uso, utilizziamo un apposito indurente, come il Kodak Rapid Fixer soluzione B. Diluiamo una parte di indurente in 4 d'acqua e immergiamoci il negativo per 2 minuti prima di passare alla fase successiva.

5 Sciacquiamo il negativo e stendiamolo ad asciugare sul filo con le apposite mollette.

New 55

Materiali

- Caraffa graduata
- Ilford Rapid Fixer
- Acqua distillata
- Agitatore
- 2 bacinelle
- Lacca spray acrilica (Krylon K07032 special purpose spray)
- Guanti

Metodo

1 Mentre la pellicola si sviluppa prepariamo una soluzione 50:50 di Ilford Rapid Fixer e acqua nella caraffa, quindi versiamola in una bacinella. Per le pellicole New 55 va utilizzato esclusivamente questo fissatore.

2 Quando la foto è sviluppata, rimuoviamo la piccola linguetta argentata e tiriamo fuori il gruppo di lingue dal contenitore.

3 Separiamo la stampa in un ambiente poco illuminato e schermiamo il negativo per evitare che si solarizzi. Se, al contrario, stiamo cercando di ottenere una solarizzazione, illuminiamo il negativo con una torcia o esponendolo alla luce del sole.

4 Mettiamo il tutto con il negativo a faccia in giù nella bacinella insieme alla soluzione fissativa per 30-60 secondi.

5 Solleviamo la bacinella e togliamo il negativo dal gruppo di lingue. Ora separiamo le strisce di adesivo dal retro del negativo, facendo attenzione a non graffiarne la delicata emulsione.

6 Rimettiamo il negativo nel fissativo, questa volta a faccia in su, e lasciamocelo per 1-2 minuti. Agitiamolo di tanto in tanto per rimuovere ogni residuo chimico rimasto.

7 Mettiamo i guanti e togliamo ogni grumo gelatinoso galleggiante.

8 Riempiamo d'acqua la seconda bacinella e immergiamo il negativo, lasciandocelo per 10-20 minuti. Agitiamolo ogni tanto e cambiamo spesso l'acqua.

9 Estraiamolo e mettiamolo ad asciugare in un ambiente protetto dalla polvere. Il negativo è delicato e non dobbiamo toccarlo.

Sebbene il positivo non lo richieda, possiamo spruzzarlo con lo spray protettivo indicato tra i materiali per garantirne una maggiore durata.

Nota

Se non fissiamo i negativi New 55, li perderemo sicuramente.

Consigli

Se vogliamo esporre più di una pellicola 665 nella sessione di scatto, possiamo mettere i negativi in un sacchetto Ziploc con un po' d'acqua, in modo che non si appiccichino tra di loro, finché non siamo pronti a pulirli. Se i negativi si seccano, è ancora possibile pulirli, ma i risultati non saranno altrettanto soddisfacenti di quelli ottenuti con negativi umidi.

Andiamo avanti

Una volta che il negativo è asciutto, possiamo usarlo per stampare delle foto in camera oscura (pp. 214-217) o svilupparlo come un negativo in bianco e nero di grande formato. Possiamo utilizzarlo anche per fare dei Polagram (pp. 186-189) o delle cianotipie (pp. 190-195).

In senso orario: negativo New 55 scansionato da Thomas Zamolo. Negativo Type 55 scansionato dall'autrice. Positivo da Polaroid Type 55 di Rhiannon Adam. Due negativi Polaroid Type 55 scansionati da Bastian Kalous.

Polagram

PELLICOLE Tutte
TEMPO 20 minuti
DIFFICOLTÀ Moderata

Negli anni Trenta dell'Ottocento William Henry Fox Talbot produsse il primo fotogramma (*photogram*) della storia appoggiando foglie o altri materiali a della carta "fotografica" ed esponendo il tutto alla luce del sole. Il risultato fu una specie di stampa a contatto, con uno "sfondo" nero dove la luce aveva impressionato la carta, e delle aree bianche dove quest'ultima era stata protetta dal materiale appoggiatovi sopra. Talbot le definì *X-ray-like images* o *photogenic drawings*, dove il termine *photo* deriva dal greco *phõs* che significa «luce». La stessa tecnica fu ripresa da Man Ray, che la chiamò Rayographs riferendola a se stesso.

I principi base dei polagram sono esattamente gli stessi dei photogram. Le pellicole peel-apart danno un risultato simile a quello delle X-ray-like images descritte prima, mentre con quelle integral l'area esposta risulta bianca e quella protetta nera (o scura). C'è da notare che quando usiamo le pellicole istantanee non è possibile svolgere tutto il procedimento senza usare una fotocamera. Infatti, per spargere uniformemente i reagenti chimici dalla sacca agli strati della pellicola, è necessario farla passare tra i rulli della fotocamera.

Le immagini usate per illustrare questo metodo sono illuminate, ma in realtà il procedimento va eseguito stando al buio completo.

Metodo

1. Prepariamo il materiale. Gli oggetti che scegliamo devono avere dimensioni ridotte. Quelli semitrasparenti come le foglie, i fiori, pezzi di pellicole 35mm, ritagli di giornale o anche trasparenze da foto Impossible (pp. 128-131), danno i migliori risultati.

Funzionano bene anche oggetti dai bordi ben definiti, per esempio spille di sicurezza, chiavi o bottoni. Se vogliamo, inoltre, possiamo scrivere messaggi su materiale trasparente, come l'acetato, per incorporarli nell'immagine.

2. Gli oggetti che stanno appoggiati completamente sulla pellicola daranno figure dai bordi netti.

Possiamo usare un vetro per tenerli schiacciati **(a)** ed è utile

Materiali

- Fotocamera istantanea
- Pellicola compatibile
- Flash esterno o torcia
- Piccoli oggetti o silhouette ritagliate su cartoncino, foglie o altro

Opzionali

- Foglio spesso di acetato trasparente
- Forbici
- Lastra di vetro grande almeno quanto l'area immagine della pellicola

Consigli

Se usiamo pellicole integral e vogliamo metterci sopra oggetti che non stanno ben distesi, può essere utile disporli tra due lastre di vetro o di acetato delle stesse dimensioni della cornice. In questo modo potremo metterli con precisione sulla pellicola anche quando siamo al buio.

usare una cornice presa da una foto da buttare, per essere sicuri che rimangano all'interno dell'area immagine.

3 Disponiamo gli oggetti nell'area di lavoro in modo che sia facile trovarli quando siamo al buio. Se usiamo dell'acetato per tenere distesi gli oggetti, orientiamoli correttamente, perché una volta al buio non potremo più farlo (vedi "Consigli" nella pagina a fianco). Teniamo il flash o la torcia a portata di mano.

4 Spegniamo la luce e controlliamo che non filtri luce da nessuna apertura.
Apriamo la fotocamera; se usiamo un pacco nuovo di pellicole integral estraiamo la dark slide e poi facciamo scorrere un foglio di pellicola (pp. 64-65), che metteremo sull'area di lavoro **(b)** facendo attenzione a non schiacciare la sacca dei reagenti. Se lasciassimo la pellicola nella cartuccia, il bordo rialzato di quest'ultima impedirebbe agli oggetti più grandi dell'area immagine di appoggiarsi alla superficie, e avremmo dei margini sfocati sul polagram. Per tenere gli oggetti piani sulla pellicola mettiamoci sopra un vetro.
Se usiamo pellicole peel-apart, rimuoviamo l'intero pacco e sistemiamo gli oggetti sulla cartuccia senza estrarre un foglio di pellicola. Possiamo appoggiare un vetro sopra gli oggetti per tenerli contro la pellicola, se necessario.

5 Per esporre la pellicola, colpiamola con un lampo di luce, tenendovi sopra la torcia. Se usiamo il flash, indirizziamolo contro il soffitto per far rimbalzare la luce. La durata varia in base alle pellicole, ma di solito è sufficiente un lampo molto breve **(c)**.

6 Rimuoviamo gli oggetti dalla pellicola e inseriamola nella cartuccia (se vogliamo usare il metodo Hand Development, andiamo alle pp. 200-201). Chiudiamo la fotocamera completamente **(d)** e accendiamo la luce.
Se usiamo pellicola integral, la fotocamera avrà già espulso il foglio, che avrà iniziato a svilupparsi. Se usiamo una fotocamera peel-apart, estraiamo la foto come al solito.
Se usiamo una Fuji Instax, mettiamo la mano sull'obiettivo e premiamo il pulsante di scatto. Togliamo la mano solo quando la pellicola è uscita del tutto.

Nota

Pellicole come le Spectra, le Type 600 e le I-Type, che hanno una sensibilità di 640 ISO, richiedono meno luce delle SX-70. Le pellicole Fuji Instax sono ancora più veloci e necessitano di ancor meno luce.

Materiali

a

b

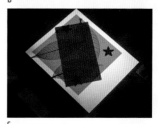

c

d

In alto in queste pagine: Patrick Winfield: Mosaici di polagram.

A destra: Simone Bærentzen: polagram di pellicola Impossible su tre strati.

Nella pagina a fianco in basso a sinistra: Michael Mendez: polagram su pellicola peel-apart.
Nella pagina a fianco in basso a destra: Nick Marshall: polagram su FP-100C.

Cianotipie

PELLICOLE Impossible/New 55
TEMPO 30 minuti-2 ore
DIFFICOLTÀ Media

La cianotipia è una forma di stampa a contatto realizzata tramite la sovrapposizione di oggetti su un materiale fotosensibile che viene poi esposto alla luce e "sviluppato". La stampa avrà un bel colore blu di Prussia. Le cianotipie erano un tempo usate per fare copie di progetti o di schizzi tecnici e per questo divennero note anche con il nome *blueprints*.

Quando Polaroid produceva pellicole come le 665, 55 e 51 (Guida, pp. 224-229), era possibile utilizzare i loro negativi per diverse tecniche fotografiche, tra cui la cianotipia. Era possibile avere una stampa a contatto, color blu e di ottima qualità, delle stesse dimensioni del negativo, senza che fosse necessario usare una camera oscura.

Sebbene queste pellicole Polaroid (p. 183) siano fuori produzione, è possibile trovarne ogni tanto nei siti di aste. La compagnia New 55 produce la pellicola 5"x4" in fogli Type 55, compatibile con fotocamere Polaroid. È l'unica pellicola peel-apart attualmente in produzione. Per maggiori informazioni sulla pellicola della New 55, andiamo alle pp. 184-185 o al glossario delle pellicole a p. 22.

Usare negativi Polaroid o New 55 in bianco e nero non è la sola opzione. Possiamo recuperare un negativo utilizzabile dalle

Toshihiro Oshima, cianotipia da negativo Type 55.

Fuji FP-100C (pp. 174-177). Ma possiamo fare delle cianotipie anche con le trasparenze Impossible (pp. 96-97 o 178-181).

Quale che sia l'origine del materiale che useremo, i reagenti chimici rimangono invariati. Per prima cosa, applichiamo la soluzione chimica al supporto e lasciamola asciugare, poi appoggiamo il materiale sorgente, un negativo o una trasparenza, sulla superficie che verrà esposta alla luce UV. Questa produrrà uno sbiancamento delle aree non coperte.

La stampa viene sviluppata in due fasi: prima lo sbiancamento e poi il lavaggio (tutti i processi di sviluppo in due fasi prevedono che il fotografo parta da un negativo per creare un positivo).

Durante il lavaggio, le zone colpite dalla luce UV diventeranno blu intenso e quelle protette bianche.

Questo tutorial passo per passo ci mostra come ottenere una cianotipia partendo da una trasparenza Impossible, ma ci sono diverse altre opzioni elencate qui di seguito:

- Trasparenze Impossible

- Negativi di pellicole
  Fuji FP-100C/FP-100B

- Negativi monocromatici
  di Polaroid Type 665/55

- Negativi monocromatici
  di pellicole New 55

- Una foto Polaroid scansionata
  e invertita e poi stampata su
  acetato

Consigli

Le trasparenze Impossible
danno luogo a cianotipie simili
alle immagini X-ray-like. In
alternativa, possiamo partire
da un polagram (pp. 186-189)
con una trasparenza, oppure
scansionare e invertire una foto
per poi usare un Instant Lab
(p. 73) per trasferirla su una
pellicola istantanea prima di
realizzare una trasparenza.

Se decidiamo di scansionare e
invertire una Polaroid, quindi di
stamparla su acetato per avere
il negativo, come ha fatto la
fotografa Britta Hershman, c'è la
possibilità di ingrandire la foto di
partenza.

Inoltre, possiamo immergere
la cianotipia nel caffè, come ha
fatto la Hershman, per conferirle
un aspetto anticato molto
particolare.

Britta Hershman lavora con
Impossible 600 speed; scansiona
le proprie foto (lo scatto originale
è in alto a sinistra), le inverte e
quindi le converte in bianco e
nero, aumentando il contrasto, per
poi stamparle su acetato. Infine,
usa il "negativo" così ottenuto per
realizzare le cianotipie, che poi
immerge nel caffè per dar loro una
colorazione marrone.

Materiali

- Trasparenze Impossible
- Acrilico o Plexiglas poco più grandi della trasparenza
- Luce solare (o lampada UV)
- Acqua

Opzionali

- Bacinella

Metodo base (15 minuti)

- Carta sensibile luce solare

Metodo intermedio (1 ora)

- 25 g Citrato di ammonio ferrico
- 10 g di ferricianuro di potassio
- 2 cucchiai di plastica
- 2 bottiglie di vetro marrone
- Capacimetro
- Pennello senza metallo
- Protezioni: guanti, maschera respiratoria, occhiali, abiti vecchi (a perdere)
- Pezzo di Plexiglas/acrilico
- Carta da acquerello

Opzionali

- Sbiancante: aceto bianco, succo di limone, perossido di idrogeno
- Colorante (caffè, tè, vino rosso e così via)

Metodo

1. Prepariamo una trasparenza Impossible (pp. 178-181).

2. Prepariamo la superficie della cianotipia seguendo uno di questi metodi:

Metodo base
Prendiamo un foglio di carta per cianotipie (la carta Sunprint si trova su Amazon oppure nei negozi specializzati). Attenzione: saltiamo il punto 3.

Metodo intermedio
Lavorando in un ambiente poco illuminato, per prima cosa indossiamo gli indumenti protettivi e proteggiamo la superficie di lavoro. Prepariamo il nostro sensibilizzante per cianotipia mescolando le soluzioni A e B in parti uguali:

Soluzione A: sciogliamo bene, con un cucchiaio di plastica, 25 g di polvere di citrato di ammonio ferrico in 100 ml di acqua distillata. Versiamo la soluzione in una delle bottiglie.

Soluzione B: sciogliamo bene, con un cucchiaio di plastica pulito, 10 g di polvere di ferricianuro di potassio in 100 ml di acqua. Versiamo la soluzione nella seconda bottiglia.

Queste due soluzioni, una volta miscelate, sono sufficienti per sensibilizzare una superficie di 20x25 cm (8"x10") o 100 superfici grandi ognuna come una stampa Polaroid. Misceliamo A e B solo al momento dell'uso, perché la miscela diventa inattiva velocemente. Per conservare le singole soluzioni anche alcuni mesi, teniamole in bottiglie ben chiuse al buio e a temperatura ambiente. Proseguiamo con il punto 3.

3. Prendiamo il pennello e applichiamo uno strato sottile e uniforme di sensibilizzante su tutta la superficie, con pennellate orizzontali e verticali. Spegniamo la debole lampadina a incandescenza che illumina l'ambiente di lavoro e controlliamo che non penetri luce UV, quindi lasciamo asciugare la superficie per alcune ore.

Quasi ogni tipo di materiale è adatto come superficie, ma le migliori sono quelle naturali, come carta per acquerello, legno levigato, tessuto ecc. Possiamo utilizzare anche superfici di vetro, ma si deve aggiungere alla miscela del gelificante per una migliore aderenza e per allungare i tempi di asciugatura. Per superfici molto porose è necessario ripetere l'intero passaggio di copertura. Possiamo preparare diversi fogli per cianotipia e conservarli in una busta/scatola per carta fotografica al riparo dalla luce.

4. *Per entrambi i metodi*
Mettiamo sulla superficie sensibile la trasparenza a faccia in su **(a)**, quindi copriamola con il Plexiglas per tenerla piana. Se usiamo Sunprint paper (come illustrato), usiamo il kit, come da istruzioni. Può risultare utile mettere la carta

e il Plexiglas assemblati su una superficie dura e piatta come un portablocco, così da poter spostare facilmente il tutto alla luce del sole in seguito.

5 *Per entrambi i metodi*
Possiamo esporre il tutto alla luce del sole oppure usare un kit apposito, come il gel UV foto-indurente per la cura delle unghie, illustrato qui *(b, c)*. Possiamo inoltre utilizzare un'unità di esposizione progettata per serigrafia o conciatura, ma anche inserire una lampada UV in un normale portalampadine.

I tempi di esposizione possono variare da qualche minuto ad alcune ore, a seconda dell'intensità della luce, della temperatura e della sensibilità della superficie trattata. In piena luce del sole i tempi variano da 1 a 6, mentre vanno raddoppiati se il cielo è nuvoloso. Usando la carta Sunprint vedremo il blu diventare quasi bianco nelle zone esposte.

Un'immagine esposta bene deve invertirsi quasi completamente. Con superfici sensibilizzate manualmente le luci alte e i mezzitoni diventano verde scuro/blu, mentre le ombre appaiono solarizzate.

6 *Per entrambi i metodi*
Laviamo la carta esposta in una bacinella o tenendola sotto acqua corrente non forte *(d)*, finché l'immagine non si inverte e le aree esposte diventano di un blu intenso. Con le superfici ricoperte manualmente, sciacquiamo finché le macchie verdi non svaniscono del tutto.

Lasciamo asciugare la stampa finita, oppure passiamo al punto successivo.

7 Possiamo tingere o intensificare i colori della nostra cianotipia. Se immergiamo velocemente la carta in una debole soluzione di acqua e perossido di idrogeno/succo di limone/aceto bianco, rendiamo più chiari i bianchi e miglioriamo i blu.

Per tingere la cianotipia abbiamo diverse possibilità: usare il caffè, il tè o il vino rosso. Possiamo fare come Britta Hershman (p. 191) e mettere la cianotipia a faccia in giù, in una bacinella piena di caffè, per un periodo variabile da 30 minuti a 12 ore. Più tempo la stampa rimane immersa, più diventerà intenso il marrone e debole il blu.

a

b

c

d

e

In alto: *Motel,* cianotipia a mosaico realizzata con sei trasparenze Impossible positive.

A destra: *Motel II:* l'immagine è tinta con vino rosso e tè, quindi sbiancata selettivamente con succo di limone.

In questa pagina: cianotipie realizzate con negativi di pellicole Type 55 da Robert Solywoda.

Experimental Painting

PELLICOLE Impossible
TEMPO 15 minuti
DIFFICOLTÀ Bassa

Materiali

- Pellicole Impossible

- Strumenti (rulli, cappucci di biro, spatole, cucchiai e unghie)

- Computer, scanner e programma di elaborazione immagini

Solo per il metodo 2

- Sorgente luminosa e gel colorati

Ci sono diversi modi per realizzare delle immagini senza usare una fotocamera e la tecnica illustrata di seguito è uno di questi. Questo metodo si basa sulla manipolazione dell'emulsione con diversi strumenti per creare differenti effetti o segni, e poi sulla spremitura della sacca dei reagenti per dare il via allo sviluppo.

La tecnica può essere poi portata avanti in varie direzioni. Per esempio possiamo esporre la pellicola alla luce del sole o di un flash prima che inizi lo sviluppo oppure possiamo metterci sopra delle strisce di acetato colorato ed esporla alla luce prima di spandere i reagenti. Usiamo questo tutorial come punto di partenza per i nostri esperimenti, per aiutarci a familiarizzare con la costruzione delle pellicole che stiamo usando.

La tecnica *experimental painting* funziona con ogni tipo di pellicola, integral o peel-apart, tuttavia questo tutorial è focalizzato sulle Impossible, che grazie ai loro tempi di sviluppo lenti offrono più tempo per la manipolazione. Questa caratteristica è sfruttata anche per altre tecniche, come la manipolazione dell'emulsione (pp. 154-155).

Metodo 1 (luce solare)

1 Prendiamo una pellicola dal film pack e mettiamola a faccia in su sull'area di lavoro. Usando un rullo, schiacciamo la sacca dei reagenti **(a)** per farli spargere.

2 Iniziamo a dipingere. Lavoriamo sul retro della foto, perché se lavorassimo sulla parte frontale rovineremmo l'emulsione. Applichiamo una pressione partendo dal basso, facendo scorrere diversi strumenti sulla superficie **(b)**. I segni che facciamo rimangono impressi sull'emulsione quando questa viene sviluppata. Questa è una delle rare volte in cui si può scuotere una Polaroid, perché aggiunge difetti all'emulsione.

3 Lasciamo sviluppare la pellicola per almeno 5 minuti (se usiamo una Impossible a colori). Osserviamo come i colori cambiano durante lo sviluppo. Una volta soddisfatti, ritagliamo 1-2 mm di bordo dalla foto **(c)**.

4 Partendo da un angolo, apriamo la foto **(d)**. Se l'emulsione tende a lacerarsi, dobbiamo scaldarla con un asciugacapelli per renderla più malleabile. Se non dividiamo la foto, a questo punto lo sviluppo continuerà fino a renderla completamente bianca e perderemo molta della texture della chimica.

5 Una volta separata, lasciamo asciugare la foto **(e)**.

6 (*Opzionale*) Possiamo scansionare la parte negativa della pellicola **(f)** e invertirla con Photoshop **(g)**.

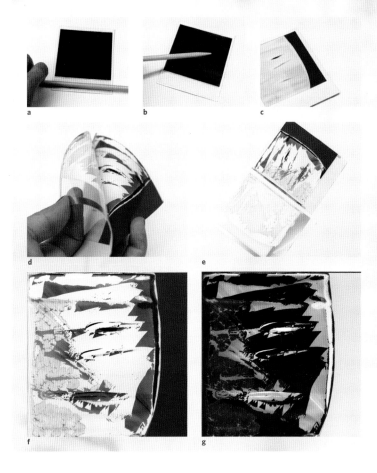

Possiamo usare il pannello frontale della foto e sovrapporlo ad altre istantanee, come fa il fotografo Hazel Davies (p. 199).

Metodo 2 (al buio)

1 In una stanza completamente buia, togliamo una pellicola dal film pack. Assicuriamoci di proteggere le rimanenti, in modo che non si rovinino quando in seguito accenderemo la luce.

2 Esponiamo la pellicola alla luce e ai colori. Prendiamo una torcia, applichiamo dei gel colorati sulla pellicola e illuminiamo il tutto in modo veloce. In alternativa, mettiamo diverse striscioline di acetato colorato sulla pellicola prima di illuminarla. L'esposizione deve essere breve per evitare di sovraesporre la pellicola. Possiamo anche applicare degli stencil sulla superficie della pellicola, così che la luce in pratica crei una maschera (pp. 114-123).

3 Usando un rullo, rompiamo la sacca dei reagenti e spandiamoli su tutta la superficie. Dopo di che possiamo accendere la luce per muovere i prodotti chimici come nel Metodo 1, per realizzare segni e forme con gli strumenti di manipolazione.

4 Dopo un paio di minuti di manipolazione, lasciamo sviluppare la foto completamente. Anziché separare gli strati della foto e usare solo il negativo, possiamo scansionarla intera.

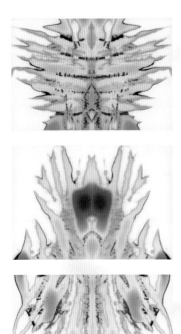

In alto: Dominic Alves usa la tecnica experimental painting (metodo 1) con pellicole Fuji Instax Mini. Scansiona le immagini, le rovescia e le ripete per creare macchie di colore che ricordano le immagini del test di Rorschach.

A destra, in alto e in basso: Annie France Noel scansiona la parte anteriore di una pellicola Impossible divisa e sovrappone diverse foto, a volte aggiungendo del colore tra loro.

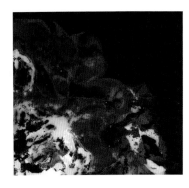

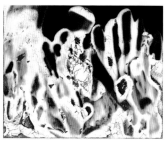

In questa pagina: belle manipolazioni di Hazel Davies, nelle quali scansiona negativi Impossible e ne inverte i colori.

Sviluppo manuale. Pellicole integral

PELLICOLE Tutte le integral
TEMPO 5 minuti (30 minuti per lo sviluppo)
DIFFICOLTÀ Moderata

La tecnica *hand development*, come altre in questo libro, richiede l'applicazione di una pressione sulla foto per creare intenzionalmente uno sviluppo non uniforme. I risultati mostrano similitudini con quelli di pellicole scadute e della tecnica *experimental painting* (pp. 196-199), e possono rendere insolito ciò che solitamente è familiare.

Possiamo usare questo metodo in combinazione con molti altri illustrati in questo manuale, e possiamo perfino adattare la tecnica *roller manipulation* (pp. 202-205) applicando *stickers* o altre ostruzioni direttamente sul rullo quando lo passiamo sulla pellicola.

Per sviluppare manualmente una pellicola dobbiamo evitare che la fotocamera la espella automaticamente, facendola passare tra i propri rulli. Questo tutorial passo per passo richiede l'uso di un Instant Lab (p. 73) per fermare l'espulsione, ma ci sono altri modi per evitarlo (guardiamo Light Painting, pp. 126-129, e Lunghe esposizioni, pp. 104-109). Possiamo anche utilizzare una MiNT InstantFlex TL70 (p. 80) o una Fuji Instax Mini, che permettono di fare delle esposizioni multiple (pp. 108-113). Anche le fotocamere Spectra, per la stessa ragione, possono andare bene per questo metodo. Questa tecnica può essere utilizzata anche per sviluppare immagini esposte fuori dalla fotocamera (pp. 186-189).

In questa pagina: Immagini Instant Lab sviluppate manualmente con pellicole Impossible bianco e nero.

Materiali	Nota
• Instant Lab/MiNT TL70 • Pellicole integral compatibili (Guida, pp. 224-229) • Rullo di gomma • Superficie liscia e piana • Camera oscura • Dark slide	Le immagini del tutorial sono state illuminate a scopo dimostrativo, ma il procedimento va svolto al buio!

Metodo

1 Scattiamo una foto con la nostra attrezzatura e non premiamo il pulsante di espulsione **(a)**.

Cerchiamo una stanza che possa essere resa completamente buia e prepariamo l'area di lavoro. Assicuriamoci di saper aprire il vano portapellicola della fotocamera anche al buio. Mettiamo il rullo di gomma a portata di mano, così da trovarlo subito.

2 Spegniamo la luce **(b)**. Apriamo il vano portapellicola ed estraiamo la cartuccia dalla macchina. Copriamo il resto del film pack con la dark slide.

3 Al buio, estraiamo dal film pack il foglio di pellicola superiore **(c)** e mettiamolo a faccia in giù sulla superficie.

4 Passiamo velocemente il rullo sulla pellicola partendo dal basso. In questo modo rompiamo la sacca e spandiamo i reagenti chimici fra gli strati della pellicola. Bastano due passaggi con il rullo in su **(d)**.

Se premiamo troppo, l'immagine verrà bianca e gialla, se troppo poco, i reagenti non si spanderanno, lasciando delle macchie marroni. Regoliamo la pressione in base al risultato desiderato.

5 Lo sviluppo ha inizio. Possiamo accendere la luce e osservare la foto che si forma **(e)**. Ci vorranno 30 minuti.

a

b

c

d

e

Manipolazione rulli

PELLICOLE Tutte
TEMPO 5-30 minuti
DIFFICOLTÀ Bassa

La maggior parte delle fotocamere Polaroid e tutte le Impossible utilizzano un sistema di rulli per espellere le foto e spandere uniformemente i reagenti chimici dello sviluppo. Tenere puliti questi rulli è fondamentale per avere risultati costanti nel tempo.

È molto probabile che si verifichi il problema dei rulli sporchi quando si usano pellicole SX-70 o 600, dovuto quasi certamente alla fuoriuscita dei reagenti chimici dalla pellicola e al loro depositarsi sui rulli, seccandosi. Ciò rende la pressione sulla pellicola non uniforme, con la formazione di dominanti gialle dove è eccessiva. Nelle pellicole SX-70 scadute i reagenti possono essersi seccati un po' e causare l'ostruzione dei rulli.

A volte, comunque, queste ostruzioni possono dare risultati interessanti. Per creare volontariamente una difforme distribuzione dei reagenti possiamo applicare delle ostruzioni ai rulli (queste devono avere uno spessore limitato per non causare inceppamenti) e ottenere così dei motivi che si ripetono nelle foto. Proviamo questa tecnica con una fotocamera a cui non teniamo molto, perché potrebbe rompersi.

Possiamo applicare delle ostruzioni ai rulli della fotocamera per ottenere risultati come questo.

Materiali

- Fotocamera istantanea
- Pellicole compatibili
- Oggetti di nostra scelta da applicare ai rulli (stelline adesive, per esempio)

Consigli

Possiamo applicare degli adesivi su un rullo per passarlo sulla fotografia appena espulsa dalla fotocamera. Il risultato sarà meno intenso di quello descritto qui.

Metodo

1. Accediamo ai rulli della fotocamera **(a)**.

2. Applichiamo gli adesivi **(b)**. Gli adesivi, come quelli illustrati, devono essere premuti con forza sui rulli affinché non si stacchino **(c)**. Facciamo girare i rulli un paio di volte per controllare che gli adesivi non si stacchino. Possiamo ritagliare delle forme personalizzate di nastro adesivo e poi applicarle ai rulli. Evitiamo di attaccare ostruzioni alle estremità di questi, perché qui passano i bordi della pellicola.

3. Inseriamo il film pack e lasciamo uscire la dark slide come al solito, quindi scattiamo una foto **(d)**. Appena la pellicola passa tra i rulli, le ostruzioni vengono impresse sulla sua superficie.

4. Aspettiamo che l'immagine si sviluppi e guardiamo i risultati **(e, f, g)**. Questa manipolazione ha effetto su tutte le foto fino a quando non vengono rimosse le ostruzioni dai rulli. Se vogliamo toglierle dopo una singola foto, facciamolo in una stanza buia. Se usiamo una fotocamera Polaroid integral, ricordiamoci di reinserire la dark slide in cima al film pack prima di reinserirlo nella macchina.

In questa pagina: stelline adesive applicate ai rulli di una fotocamera SX-70 caricata con pellicola Time Zero scaduta.

Manipolazione rulli su foto singola

La tecnica illustrata precedentemente è una forma di manipolazione della cartuccia, in quanto manipoliamo l'immagine dentro la cartuccia prima dell'esposizione. Questo metodo, però, funziona anche con singole pellicole peel-apart. Creiamo delle forme ritagliandole da un nastro adesivo spesso e applichiamole al foglio di pellicola stando al buio, prima dello sviluppo **(a)**. Dopo l'espulsione, separiamo gli strati **(b)** e lasciamo sviluppare la foto **(c)**.

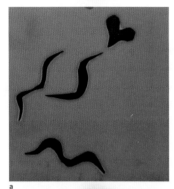

a

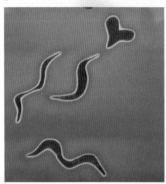

b

c

In questa pagina: manipolazioni realizzate con pasta dentifricia secca applicata ai rulli della fotocamera

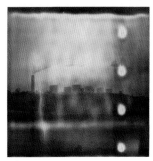

Nella pagina a fianco: Enrique Freaza utilizza il metodo per foto singole, attaccando delle stelline alla superficie della pellicola prima dell'esposizione.

Interrupted Processing

PELLICOLE Peel-apart, Polaroid a colori/Fuji FP-100C
TEMPO 2-3 minuti
DIFFICOLTÀ Bassa

Questa semplice manipolazione è adatta solo alle pellicole peel-apart, in film pack o a fogli (Guida, pp. 224-229) ed è una variazione del metodo illustrato alle pp. 134-139. Sebbene possano essere usate anche pellicole in bianco e nero, quelle a colori danno i risultati migliori.

Gli effetti che si ottengono variano con i diversi tipi di pellicola. Uno dei più interessanti è il look 3D offset, dove i livelli ciano e magenta appaiono sfalsati in seguito alla separazione della pellicola prima che il trasferimento dei pigmenti sia completo e al loro successivo riposizionamento, appunto, con una leggera sfalsatura.

Materiali

- Pellicole Peel-apart Polaroid Colour/Fuji FP-100C

- Fotocamera compatibile

- Timer

- Rullo di gomma

Metodo 1 (Polaroid Peel-apart)

1 Scattiamo una foto a un soggetto con elevato contrasto ombre/luci. Tiriamo la prima linguetta bianca fuori dalla fotocamera e facciamo partire il timer, quindi estraiamo la pellicola del tutto tirando la seconda linguetta **(a)**.

2 Passati 15 secondi, separiamo parzialmente i due strati della pellicola **(b)**. Prima agiamo, maggiore sarà la componente magenta nella foto. Se vogliamo aspettare di più, permettendo di emergere alle luci alte ciano, l'effetto 3D offset inizierà a comparire.

3 Con il negativo e il positivo ancora uniti alla linguetta **(c)**, solarizziamo velocemente il negativo. Per farlo, è meglio usare una luce debole, come quella di una lampada da tavolo.

4 Riuniamo il negativo e il positivo **(d)** disallineandoli leggermente **(e)** se vogliamo creare un effetto *ghosting*.

6 Usando il rullo o le dita, applichiamo una leggera pressione sui bordi della pellicola per far aderire bene i due strati **(f)**. Non premiamo troppo forte, altrimenti creeremo delle macchie sull'immagine. A sviluppo completato, separiamo il negativo dal positivo.

7 L'immagine finale dovrebbe presentare una separazione dei colori e una doppia immagine **(g, h)**. Dove non c'è stata perfetta aderenza tra il negativo e il positivo vedremo apparire delle macchie colorate.

Metodo 2 (Fuji Peel-apart)

Con la Fuji FP-100C non è possibile ottenere una netta separazione dei colori, ma un buon effetto ghosting sì. Le pellicole Fuji si sviluppano più velocemente delle Polaroid, quindi, se le separiamo troppo presto, esponendo il negativo alla luce, i reagenti diventeranno neri anziché bianchi, e quando uniremo di nuovo i due strati, verranno trasferiti al positivo dando un'immagine finale nera o marrone scuro.

Ci sono due modi per evitare un tale risultato. Primo: eseguiamo il Metodo 1 completamente al buio separando gli strati di pellicola, disallineandoli e poi riunendoli, saltando il passaggio della solarizzazione.

In alternativa, separiamo la pellicola poco prima che finisca lo sviluppo (25 secondi circa), e riuniamo subito negativo e positivo un poco disallineati, premendo bene per una buona

a b c d e f

g

aderenza tra i due. Avremo
un buon effetto ghosting
e, anche se ci sarà qualche
residuo violaceo e sarà più
scuro di quelli della Polaroid,
i pigmenti saranno trasferiti
completamente al positivo. Per
questo motivo, non avremo un
effetto 3D con separazione dei
colori.

h

Andiamo avanti

Ci sono varianti di questa
tecnica, come la *slow
peel*: anziché solarizzare
e ricombinare negativo e
positivo, mettiamo in atto
una separazione prolungata
e intervallata (2 cm ogni 15
secondi con le Polaroid e ogni
5 secondi con la Fuji FP-100C).
Questo interrompe lo sviluppo e

rende l'immagine finale
più accesa in certe sezioni
e più pallida in altre. Possiamo
creare delle bande sulla foto,
estraendola dalla fotocamera
a intervalli e lentamente, mentre
si spandono i reagenti.
   Ci sono altre sperimentazioni
da fare, magari provando
con una doppia esposizione

interrompendo lo sviluppo di
due Polaroid simultaneamente,
per poi scambiare i negativi tra
le due foto.

In queste pagine: selezione di
immagini manipolate con la tecnica
interrupted processing realizzate
dall'autrice.

Colour Injection

PELLICOLE Tutte le integral
TEMPO 10-30 minuti
DIFFICOLTÀ Moderata

Alcune manipolazioni, come quella di questa tecnica, possono essere ottenute sia prima, sia subito dopo aver scattato la foto. I risultati nell'immagine finale sono sbavature o blocchi di colori. Questi effetti sono particolarmente interessanti con pellicole bianco e nero Impossible, tuttavia possono essere utilizzate tutte le pellicole integral, incluse le Fuji Instax (Guida, pp. 224-229).

Sebbene questa tecnica sia più facile da eseguire dopo l'esposizione, dato che si può lavorare alla luce anziché al buio, gli effetti sono assai eterogenei e le sbavature di colore meno consistenti. Questo tutorial illustra un metodo postesposizione leggermente avanzato. Prima di metterlo in atto sarebbe meglio fare un po' di pratica con la tecnica swapping film (pp. 64-65) e familiarizzare con le parti delle pellicole integral (pp. 42-43). Se vogliamo lavorare alla luce, basta inserire nella sacca della pellicola dei colori, come indicato nei punti 3 e 4, quindi, al posto dei punti 5 e 6, utilizzare un rullo per spandere i reagenti negli strati, facendo però attenzione a non esercitare una pressione eccessiva.

Materiali

- Fotocamera integral
- Pellicola compatibile
- Dark slide/cartoncino nero
- Siringa ipodermica e ago di grosso calibro
- Bisturi
- Inchiostri/pigmenti/vernice in gel/smalto per unghie
- Nastro adesivo

Metodo

1 Cerchiamo un luogo buio dove lavorare. Togliamo la dark slide e la prima pellicola dal film pack, facendo attenzione a non schiacciarne la sacca. Teniamo da parte il resto del film pack per usarlo in seguito.

Mettiamo la pellicola sul piano di lavoro a faccia in su. Fissiamo con nastro adesivo la dark slide o il cartoncino nero sulla finestra immagine in modo che sia ben protetta dalla luce. Facciamo attenzione che la luce non possa entrare nemmeno dai bordi della cornice, applicando il nastro con cura. Quando abbiamo finito, giriamo la pellicola su se stessa **(a)**.

2 Accendiamo la luce. Utilizzando il bisturi, pratichiamo una piccola incisione sulla sacca, nella parte inferiore della foto, facendo attenzione a intervenire solo sul livello superiore **(b)**. È opportuno incidere nella parte superiore della sacca, così che i colori siano più vicini all'area della pellicola. Il taglio deve essere fatto in modo da poter inserire l'ago della siringa comodamente. A questo punto, un po' di reagenti potrebbero fuoriuscire dalla sacca. Per una migliore distribuzione del colore possiamo praticare due aperture, a sinistra e a destra.

3 Riempiamo la siringa con alcuni millimetri di colore e iniettiamoli nella sacca attraverso le incisioni **(c)**. Badiamo di non iniettare troppo colore, altrimenti la sacca risulterebbe troppo piena e scoppierebbe dentro la fotocamera.

4 Una volta finito, puliamo ogni traccia di reagenti e colore fuoriusciti dalla sacca. Sigilliamo le aperture con nastro adesivo, facendo attenzione a distenderlo uniformemente per evitare che esca qualcosa da eventuali pieghe **(d)**. Sigilliamo anche le possibili aperture per la ventilazione nella parte superiore della pellicola.

5 Accendiamo la luce, togliamo il nastro dai bordi della foto, ma non dalla sacca, e rimuoviamo la dark slide. Inseriamo la pellicola nel film pack e rimettiamo anche la dark slide.

6 Inseriamo la cartuccia nella fotocamera. Se usiamo una Polaroid, la dark slide viene espulsa automaticamente, mentre se utilizziamo una fotocamera Fuji dobbiamo premere il pulsante di scatto perché venga spinta fuori. Scattiamo la foto e guardiamo mentre i rulli spargono sia i reagenti chimici sia i colori che abbiamo iniettato **(e)**.

Quando il colore si mischia con i reagenti chimici, dà luogo a effetti strani ma fantastici. Per la piena trasformazione possono essere necessarie ore o anche giorni. Per far asciugare reagenti e colore è opportuno rimuovere il nastro dalle aperture di ventilazione, però aspettiamo almeno 30 minuti dallo scatto prima di farlo.

7 Per preservare da ulteriori modifiche l'immagine ottenuta e conservare una copia del risultato, conviene scansionarla **(f)**.

Nota

Durante il procedimento potrebbe succedere che la sacca dei reagenti scoppi quando la foto passa tra i rulli. Se vediamo delle macchie di colore sui bordi bianchi della foto, significa che è successo. Puliamo subito i rulli della fotocamera. Rimuoviamo il film pack stando al buio e portiamo la fotocamera alla luce per pulire accuratamente rulli e vano pellicola.

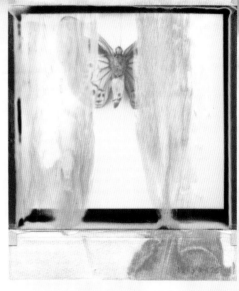

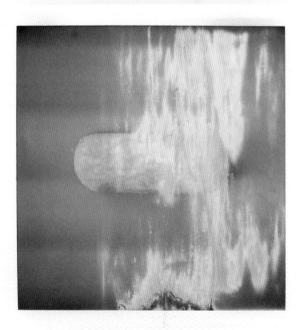

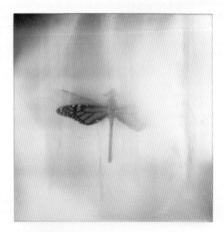

In questa pagina: una selezione di
lavori di Ritchard Ton, che ha usato
una sacca scura particolare per
proteggere le pellicole mentre iniettava
il colore nelle sacche delle pellicole.
Nella pagina a fianco: immissione
postesposizione del colore in una
pellicola Impossible bianco e nero.

Projection printing

PELLICOLE Qualsiasi
TEMPO 30-60 minuti
DIFFICOLTÀ Avanzata

Questa tecnica prevede l'uso di un ingranditore con cui proiettare, in una camera oscura, negativi o diapositive su pellicole istantanee. Con questo metodo possiamo trasportare immagini scattate con diapositive o altri substrati, a seconda delle dimensioni dell'ingranditore utilizzato, su una o più istantanee di qualsiasi formato. Come in una camera oscura tradizionale, possiamo applicare le tecnica Brucia e scherma, filtri, ingrandire l'immagine o ritagliarla, il tutto senza bisogno di sviluppare, fissare, sciacquare e far asciugare la carta fotografica dopo averla esposta.

Questo metodo è particolarmente utile per realizzare, a partire da diapositive, immagini su grande scala usando pellicole istantanee, Polaroid scadute oppure Fuji, o per composizioni basate sulla tecnica emulsion-lift. È possibile proiettare i negativi o le diapositive su diverse pellicole Polaroid in una sola volta, in modo da realizzare composizioni che combacino perfettamente. Questo metodo può anche essere usato per creare esposizioni multiple (pp. 108-113) realizzando copie per lo sviluppo manuale, collage e altre manipolazioni dell'emulsione.

Se abbiamo accesso a una camera oscura o a una stanza che può essere resa buia e alloggiare un ingranditore, questa tecnica fa proprio per noi.

Materiali

- Trasparenze da pellicole istantanee
- Diapositive
- Ingranditore
- Fotocamera
- 1 cartoncino nero

- 1 cartoncino bianco delle dimensioni giuste per entrare in un film pack (pp. 64-65).

Opzionale

- Piccolo blocco di balsa

Metodo
Parte 1. Preparazione

1 Mettiamo un pezzo di pellicola diapositiva, a faccia in su, nell'ingranditore.

2 Apriamo un film pack e facciamo scorrere il cartoncino bianco sopra la dark slide.

3 Ora possiamo accendere la luce di sicurezza, se ne abbiamo una. Posizioniamo sotto l'ingranditore il film pack, con sopra il cartoncino bianco. Questo deve risultare parallelo all'ingranditore per ottenere un'immagine perfettamente a fuoco. Se usiamo film pack Impossible o di pellicole Polaroid integral scadute, che sono leggermente angolati, dobbiamo mettere sotto di essi un pezzetto di balsa, o qualsiasi altro materiale, tagliato su misura e che renda la superficie di stampa perpendicolare alla luce che arriva dall'ingranditore.

4 Accendiamo l'ingranditore su constant; componiamo e mettiamo a fuoco l'immagine sul cartoncino bianco posto sul film pack.

5 Quando siamo soddisfatti spegniamo l'ingranditore e togliamo il cartoncino bianco.

6 Senza muoverlo, togliamo dal film pack la dark slide e mettiamola da parte per reinserirla più tardi.

Metodo
Parte 2. Esposizione

Possiamo usare il metodo *test strip* per misurare l'esposizione.

La maggior parte delle pellicole istantanee sono più sensibili della normale carta fotografica e richiedono esposizioni più brevi. Per questo motivo è consigliabile utilizzare pellicole istantanee a bassa sensibilità, come le SX-70 o le Fuji FP-100C, che riducono la possibilità di errori.

I tempi di esposizione dipendono anche dal tipo di espositore e dal livello di ingrandimento. Normalmente è consigliabile impostare l'ingranditore alla minima apertura, per iniziare.

Questa tecnica richiede una serie di tentativi per raggiungere le impostazioni ottimali, quindi utilizzare il metodo test strip significa sacrificare un solo foglio di pellicola anziché diversi. Scopriamo a intervalli da 1 a 10 secondi una sezione di pellicola SX-70 e, una volta sviluppata, controlliamo le diverse sezioni per trovare il miglior tempo di esposizione.

1 Illuminiamo la pellicola per 2 secondi. Tenendo fermo il film pack, copriamolo con la dark slide, lasciando libera una fascia di 1,5 cm.

2 Esponiamo la foto per altri 2 secondi, quindi spostiamo la dark slide per liberare un'altra fascia di 1,5 cm. Continuiamo così fino ad aver esposto tutta la superficie della pellicola.

3 Sempre con tutte le luci spente inseriamo la dark slide nel film pack sopra la pellicola esposta (necessario solo se usiamo pellicole integral) e mettiamo la cartuccia nella fotocamera. Appena chiuso lo sportello del vano batteria possiamo accendere la luce.

4 Aspettiamo che l'immagine si sviluppi e controlliamo le esposizioni delle diverse fasce della foto. Troviamo quella più vicina alle nostre esigenze. La fascia più scura corrisponde all'ultima esposizione, mentre quella più chiara all'esposizione totale. Se l'esposizione più lunga (quella totale) è ancora insufficiente e la foto risulta troppo scura in ogni sua fascia, dobbiamo ripetere il test strip aumentando il tempo di ogni singola esposizione.

In alto: esempio di test strip. **A destra:** immagine finale.

Parte 3. Esposizione finale

1 In base al risultato del test strip, impostiamo il tempo di apertura dell'ingranditore.

2 Spegniamo la luce ed estraiamo il film pack dalla fotocamera. Mettiamo il cartoncino bianco e la dark slide dentro il film pack, in modo che in cima ci sia quello bianco. Mettiamo l'ingranditore su Constant, riposizioniamo il film pack come nel punto 3 e spegniamo la luce dell'ingranditore.

3 Togliamo cartoncino e dark slide ed esponiamo la pellicola per il tempo stabilito. Ripetiamo i passaggi per sviluppare la foto.

Se abbiamo altre pellicole con la stessa luminosità, possiamo fare a meno di ripetere il test strip e stampare le foto con il tempo individuato. Se sono necessari degli aggiustamenti, possiamo farli stampando una seconda foto, così avremo un test strip e due stampe.

Andiamo avanti

Possiamo usare l'ingranditore per esporre diverse pellicole istantanee con differenti parti della diapositiva per creare un collage, oppure stamparne più parti variando le dimensioni e di conseguenza la prospettiva.

Il trucco per fare un mosaico è quello di creare una dima in cartone, delle stesse misure del mosaico. Usando foto istantanee malriuscite, possiamo stabilire con esattezza le misure, calcolando anche la sovrapposizione di ogni immagine. La dima di cartone ci serve come riferimento tattile per posizionare le pellicole quando siamo al buio.

Prima di posizionare le pellicole nella dima, impostiamo la distanza dell'ingranditore, la messa a fuoco ed eventualmente eseguiamo un test strip. Spegniamo l'ingranditore e mettiamo le pellicole al loro posto, a faccia in su. Quando tutto è sistemato, accendiamo l'ingranditore usando il tempo di esposizione stabilito con il test. Una volta finito, inseriamo tutte le pellicole nei film pack. Ricordiamoci che, se usiamo pellicole integral, in ogni cartuccia ci stanno 8 fogli più la dark slide. Mettiamo i film pack nella fotocamera e premiamo lo scatto per espellere la dark slide. Per sviluppare più foto, estraiamo il film pack dalla macchina, sempre al buio, e poi riposizioniamolo all'interno.

Ora avremo un numero di foto perfettamente esposte con cui realizzare il mosaico.

Possiamo usare questa tecnica per realizzare grandi stampe a contatto o polagram. Se vogliamo farlo utilizzando pellicole peel-apart, è opportuno servirsi di più film pack con le pellicole al loro interno anziché metterle libere nella dima di cartone, perché potrebbero non rimanere perfettamente piane una volta sotto l'ingranditore, e sarebbe difficile reinserirle correttamente nei film pack al buio.

In questa pagina: Arnaud Garcia, grandi composizioni realizzate con pellicole peel-apart.

Collage e Mixed Media

Perché non usare collage e *mixed media* per dare unicità alle nostre foto istantanee? Dato che le Polaroid sono piccole e spesso considerate un tipo di fotografia casuale e azzardata, molti fotografi hanno utilizzato questa tecnica per trasformare le proprie istantanee in un'opera d'arte ambita e apprezzata, spazzando via quella che era un'idea sbagliata.

Dato che la tangibilità della fotografia istantanea incoraggia la giocosità e la stratificazione, perché non sfidare le ben studiate limitazioni delle Polaroid eseguendo dei tagli o estendendole, abbellendo la loro superficie o pitturandole per attirare l'attenzione sulla loro reale fisicità? Possiamo impilarle una sopra l'altra oppure montarle, pitturarci sopra, cucirle oppure fotografarle.

Ogni Polaroid è unica e non può essere replicata. Non c'è un negativo da cui può essere fatta un'esatta copia, quindi manipolare e smontare le foto richiede una certa fiducia in se stessi. Prima di iniziare un lavoro è sempre bene avere in mente che risultato desideriamo ottenere alla fine.

In questa sezione troveremo alcune ispirazioni da cui partire. Molti dei risultati illustrati si possono ottenere con poco più che un po' di vernice, una taglierina e ago e filo. Non facciamoci spaventare dal provare qualcosa di nuovo... In fondo, l'unico limite è la nostra immaginazione.

In alto: sculture Polaroid di Ritchard Ton. **In basso:** Enrique Freaza, ricamo su immagine.

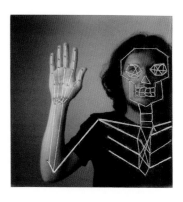

Cucire

Cucire sulle istantanee – come
si vede nelle foto integral di
Jérôme Cimolaï (a destra e fila
al centro) e nelle foto peel-apart
stupendamente ricamate di
Maritza De La Vega (fila in basso)
– dimostra che la tecnica del
mixed-media è straordinaria.

Pitturare

Perché non separare le nostre istantanee e pitturare tra gli strati, oppure tingere la finestra immagine con tempere, colori acrilici, pennarelli, vernice per vetro, spray e perfino colla, come si vede qui?

A destra: Enrique Freaza aggiunge una vernice metallizzata sulla superficie di un'istantanea 600 scaduta, sviluppata a metà. **Fila al centro:** qui gli strati sono stati separati e poi è stato usato un pennello per aggiungere tempera distribuita grossolanamente fra gli stessi. Il diossido di titanio è stato lasciato intatto e, mischiandosi con il colore, gli ha dato un aspetto cremoso. **Fila in basso:** Zora Strangefields ha aggiunto pittura, matita e brillantini per un effetto fantastico.

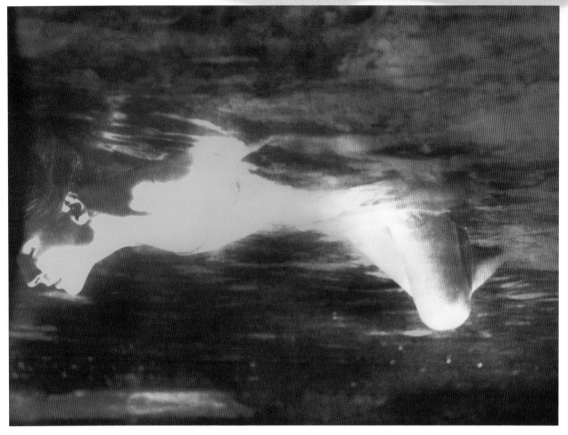

In questa pagina: Edie Sunday, foto Polaroid
peel-apart colorate a mano.

Cutting and Splicing

Possiamo montare le foto orizzontalmente, verticalmente o sovrapponendole in parte. Fila in alto: Rhiannon Adam (a sinistra); Jérôme Cimolaï (al centro e a destra). Nel mezzo: Jérôme Cimolaï. In basso: Filippo Centenari (a sinistra); Zora Strangefields (a destra).

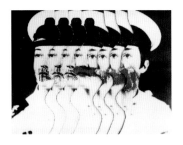

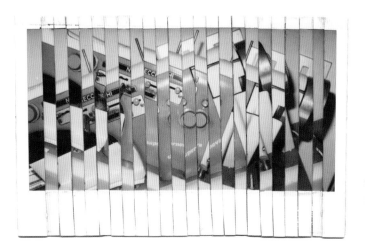

Inside/Outside the Frame

Perché non usare i collage per giocare con la percezione della realtà, smentendo i preconcetti su ciò che è possibile fare dentro i confini della cornice di una Polaroid? L'artista Zora Strangefields (a destra e al centro a destra) ha creato micromondi impossibili, usando ritagli, costruendo set e personalizzando le luci prima di fotogafarli di nuovo. Thomas Zamolo rende omaggio a Polaroid come un mondo a sé stante (al centro a sinistra), mentre Jérôme Cimolaï usa le Polaroid come palcoscenico per sfocare i confini tra finzione e realtà (in basso).

Guida alla compatibilità delle pellicole istantanee

Pellicola	Caratteristiche	ISO	Tipo	Tipo fotocamera	Note	Anno
40 (Polaroid)	Tonalità seppia	100	Roll (serie 40)	Type 40 roll film	Prima pellicola istantanea per Model 95. 8 scatti, 3¼"x4¼" (8,2x10,8 cm).	1948-1950
41 (Polaroid)	Bianco e nero	100	Roll (serie 40)	Type 40 roll film	Prima vera pellicola in B/N, 8 scatti, 3¼"x4¼". Richiede coprente.	1950-1959
42 (Polaroid)	Bianco e nero	200	Roll (serie 40)	Type 40 roll film	Prima pellicola pancromatica istantanea. 8 scatti, 3¼"x4¼".	1955-1992
43 (Polaroid)	Bianco e nero	200	Roll (serie 40)	Type 40 roll film	Include negativo non riusabile, in acetato.	1955-1958
44 (Polaroid)	Bianco e nero	400	Roll (serie 40)	Type 40 roll film	8 scatti, 3¼"x4¼" (8,2x10,8 cm).	1956-1963
46 (Polaroid)	Bianco e nero	800	Roll (serie 40)	Type 40 roll film	8 diapositive (slide), 2¼"x2¼" (5,7x5,7 cm). Richiede Dippit fix.	1957-1964
46-L (Polaroid)	Bianco e nero	800	Roll (serie 40)	Type 40 roll film	8 diapositive (slide), 3¼"x4¼". Richiede telai e proiettori specifici.	1959-1987
47 (Polaroid)	Bianco e nero	3000	Roll (serie 40)	Type 40 roll film	La più rapida pellicola Continous Tone del tempo, 3¼"x4¼" (8,2x10,8 cm).	1959-1992
48 (Polaroid)	Colore	75	Roll (serie 40)	Type 40 roll film	Prima pellicola a colori, Polacolor I. 6 scatti. Tende ad arrotolarsi.	1963-1976
31 (Polaroid)	Bianco e nero	100	Roll (serie 30)	Type 30 roll film	Rullino in formato piccolo in modelli inc. Highlander/J33, 2½"x3¼" (6,3x8,2 cm).	1964
32 (Polaroid)	Bianco e nero	200	Roll (serie 30)	Type 30 roll film	Sensibilità portata a 400 ISO nel 1959.	1955
37 (Polaroid)	Bianco e nero	3000	Roll (serie 30)	Type 30 roll film	Come la Type 47 ma più piccola, 2½"x3¼" (6,3x8,2 cm).	1959
33 (Polaroid)	Colore	75	Roll (serie 30)	Type 30 roll film	Flop commerciale per problemi di compatibilità.	1963-1969
20 (Polaroid)	Bianco e nero	3000	Roll (serie 20)	Type 20 roll film	Progettata per fotocamere Type 20 inclusa la Swinger Model 20.	1965-1970
20C (Polaroid)	Bianco e nero	3000	Roll (serie 20)	Type 20 roll film	Prima e unica pellicola coaterless B/N prodotta.	1970
105 (Polaroid)	Bianco e nero	32/75 neg/pos	Peel-apart (alias 100/660)	Type 100/405 dorso	Pellicola positivo/negativo (rinominata 665 in seguito). 8 scatti, 3¼"x4¼".	1974-1977
107 (Polaroid)	Bianco e nero	3000	Peel-apart (alias 100/660)	Type 100/405 dorso	Una delle due original Type 100 prodotte. Sviluppo 15 secondi.	1963-1998
107C (Polaroid)	Bianco e nero	3000	Peel-apart (alias 100/660)	Type 100/405 dorso	Coaterless, sviluppo 30 secondi. Affiancava la Type 667.	1978-1996
108 (Polaroid)	Colore	75	Peel-apart (alias 100/660)	Type 100/405 dorso	Altro formato peel-apart e prima pellicola Polaroid Colore.	1963-2002
084 (Polaroid)	Bianco e nero	3000	Peel-apart (alias 100/660)	Type 100/405 dorso	Peel-apart simile alla 667, non collegata alla Type 84 successiva.	1977-2002
606 (Polaroid)	Tonalità seppia	200	Peel-apart (alias 100/660)	Type 100/405 dorso	10 scatti per film pack. 3¼"x4¼" (8,2x10,8 cm).	Nessuna data
611 (Polaroid)	Bianco e nero	3000	Peel-apart (alias 100/660)	Type 100/405 dorso	Per fotografare monitor CRT serviva basso contrasto. Sviluppo 15 secondi.	1979
612 (Polaroid)	Bianco e nero	20000	Peel-apart (alias 100/660)	Type 100/405 dorso	La più rapida pellicola Polaroid. Per fotografare tracce di oscilloscopio.	1981-1998

Pellicola	Caratteristiche	ISO	Tipo	Tipo fotocamera	Note	Anno
661 Polacolor ER (Polaroid)	Colore	80	Peel-apart (alias 100/660)	Type 100/405 dorso	Pellicola per patenti di guida, rimpiazzata dalla 671. Special Program, non venduta.	1987-?
663 (Polaroid)	Bianco e nero	800	Peel-apart (alias 100/660)	Type 100/405 dorso	Mercato giapponese, in seguito venduta da Unsaleable per un tempo limitato. Coaterless.	Nessuna data
664/Polapan Pro 100 (Polaroid)	Bianco e nero	100	Peel-apart (alias 100/660)	Type 100/405 dorso	Pancromatica.	1977-2007
665 (Polaroid)	Bianco e nero	32/75 neg/pos	Peel-apart (alias 100/660)	Type 100/405 dorso	Positivo/negativo utilizzabile. Richiede coprente. Neg 32 ISO, pos 75.	1977-2006
667 (Polaroid)	Bianco e nero	3000	Peel-apart (alias 100/660)	Type 100/405 dorso	Simile alla 107C. Rimpiazza la 107. Coaterless.	1977-2007
668/Polacolor ER (Polaroid)	Colore	75	Peel-apart (alias 100/660)	Type 100/405 dorso	Versione professionale delle 108/669.	1977-?
669/Polacolor ER (Polaroid)	Colore	80	Peel-apart (alias 100/660)	Type 100/405 dorso	Versione migliorata delle Type 108/668. Migliore pellicola per Emulsion lift.	1981-2008
671 (Polaroid)	Colore	100	Peel-apart (alias 100/660)	Type 100/405 dorso	Rara pellicola, Special Events. Venduta solo in involucro di carta.	1975-?
672 (Polaroid)	Bianco e nero	400	Peel-apart (alias 100/660)	Type 100/405 dorso	Polapan Pro 400, contrasto medio, pancromatica. Coaterless.	1998-2007
679 (Polaroid)	Colore	100	Peel-apart (alias 100/660)	Type 100/405 dorso	Polacolor Pro 100. Può essere trasferita ma non sollevata.	1993-2003
681 Polacolor ER (Polaroid)	Colore	80	Peel-apart (alias 100/660)	Type 100/405 dorso	Base plastica; per applicazioni laminatore PolaPress/passaporti. UV.	1991-?
689 (Polaroid)	Colore	100	Peel-apart (alias 100/660)	Type 100/405 dorso	Pro Vivid. Migliore tra le pellicole della gamma Colore (versione della 679).	1995-2003
690 (Polaroid)	Colore	125	Peel-apart (alias 100/660)	Type 100/405 dorso	Prima e unica peel-apart self-terminating. Trasferimento sì, lift no.	2002-2008
691 (Polaroid)	Colore	80/20 pos/tran	Peel-apart (alias 100/660)	Type 100/405 dorso	Progettata per trasparenze Colore. 8 scatti per film pack.	1985-1998
Polacolor 64 Tungsten (Polaroid)	Colore	64	Peel-apart (alias 100/660)	Type 100/405 dorso	Bilanciamento del bianco a 3200°K, emulsione simile alla 669. Polacolor ER.	1992-2008
Polacolor ID/ID-UV (Polaroid)	Colore	80	Peel-apart (alias 100/660)	Type 100/405 dorso	Come la 669, con codice sicurezza visibile sotto luce nera.	1993-2008
125I/Studio (Polaroid)	Colore	125	Peel-apart (alias 100/660)	Type 100/405 dorso	Come la 690. Studio Polaroid fu sostituita dalla 125i. Per passaporti.	2003-2008
Chocolate (Polaroid)	Tonalità marrone	80	Peel-apart (alias 100/660)	Type 100/405 dorso	Rara. Negativo a colori con sacca monocromatica. Venduta da Unsaleable.	2007-2008
Sepia (Polaroid)	Tonalità seppia	1600	Peel-apart (alias 100/660)	Type 100/405 dorso	Rara. Venduta da Unsaleable.	2007-2008
Blue (Polaroid)	Tonalità Blu	80	Peel-apart (alias 100/660)	Type 100/405 dorso	Rara. Finitura Matte silk. Venduta da Unsaleable.	2007-2008
84 (Polaroid)	Bianco e nero	100	Peel-apart Type 80	Type 80	Come 664. Coaterless.	2003-2008
85 (Polaroid)	Bianco e nero	32/80	Peel-apart Type 80	Type 80	Come 665. Richiede coprente. Negativo utilizzabile.	2003-2008
87 (Polaroid)	Bianco e nero	3000	Peel-apart Type 80	Type 80	Prima pellicola coaterless B/N pack-film.	1974-2006
88 Polacolor ER (Polaroid)	Colore	75	Peel-apart Type 80	Type 80	Emulsione simile a quella della 669. Diverse versioni con lo stesso nome.	1971-2006

Pellicola	Caratteristiche	ISO	Tipo	Tipo fotocamera	Note	Anno
89 (Polaroid)	Colore	100	Peel-apart Type 80	Type 80	Simile alle pellicole Viva e 689/679. No tecnica emulsion lift.	2003-2006
Viva (Polaroid)	Colore	160	Peel-apart Type 80	Type 80	Mercato professionale/passaporti. Non venduta negli USA.	Nessuna data
Viva Colore gloss/ silk (Polaroid)	Colore	125	Peel-apart Type 80	Type 80	Non venduta negli USA o Canada. Disponibile glossy o silk (matte).	?-2006
Viva 3000 (Polaroid)	Bianco e nero	3000	Peel-apart Type 80	Type 80	Stessa emulsione delle type 87 e 667. Non venduta negli USA.	2003-2007
Chocolate 80 (Polaroid)	Tonalità marrone	100	Peel-apart Type 80	Type 80	Rara. Simile alla Type 100 Chocolate, ma quadrata.	2007-2008
552 (Polaroid)	Bianco e nero	400	Peel-apart Type 550	Polaroid 550 4"x5" dorso	Professionale, stessa emulsione delle Type 52, in fogli. Simile alla 672.	1981-1996
553 (Polaroid)	Bianco e nero	800	Peel-apart Type 550	Polaroid 550 4"x5" dorso	Professionale, stessa emulsione delle Type 63 e 663. Coaterless.	1986-2004
554 (Polaroid)	Bianco e nero	100	Peel-apart Type 550	Polaroid 550 4"x5" dorso	Stessa emulsione delle 664, 84, 54, 804. Coaterless. Polapan Pro 100.	1988-2004
558 (Polaroid)	Colore	80	Peel-apart Type 550	Polaroid 550 4"x5" dorso	Polacolor 2, una delle due originali type 550 peel-apart, affianca la 552.	1981-2004
559 (Polaroid)	Colore	80	Peel-apart Type 550	Polaroid 550 4"x5" dorso	Stessa emulsione delle 669, 88, 59, 809. Polacolor ER. Disponibile anche in silk.	1981-2004
572 (Polaroid)	Bianco e nero	400	Peel-apart Type 550	Polaroid 550 4"x5" dorso	Polapan 400. Uguale alle 672, 52.	?-2004
579 (Polaroid)	Colore	100	Peel-apart Type 550	Polaroid 550 4"x5" dorso	Come la 679. L'emulsione è stata aggiornata nel 1999 alla chimica P6.	1996-2008
51 (Polaroid)	Bianco e nero	640/80 pos/neg	In fogli	4"x5" in fogli (dorso 545)	Positivo/negativo riutilizzabile. Pellicola a elevato contrasto.	1967-2008
52 (Polaroid)	Bianco e nero	200	In fogli	4"x5" in fogli (dorso 545)	Stessa emulsione della 42. ISO modificati in seguito. Richiede coprente.	1958-1961
52 (Polaroid)	Bianco e nero	400	In fogli	4"x5" in fogli (dorso 545)	Richiede coprente. Simile alle 552 e 672.	1967-2007
53 (Polaroid)	Bianco e nero	200	In fogli	4"x5" in fogli (dorso 545)	Richiede coprente. Negativo in acetato. Coaterless.	1958-?
53 (Polaroid)	Bianco e nero	800	In fogli	4"x5" in fogli (dorso 545)	Coaterless, contrasto medio, ampia gamma tonale. Sviluppo: 30 secondi.	1986-2007
54 (Polaroid)	Bianco e nero	100	In fogli	4"x5" in fogli (dorso 545)	Ampia gamma tonale. Polapan Pro 100, come 664, 84, 804. Coaterless.	?-2008
55 (Polaroid)	Bianco e nero	25/50 pos/neg	In fogli	4"x5" in fogli (dorso 545)	Positivo/negativo. Elevata definizione del negativo.	1961-2008
56 (Polaroid)	Polapan Sepia	400	In fogli	4"x5" in fogli (dorso 545)	Contrasto medio, pancromatica. Simile a 606.	1996-2007
57 (Polaroid)	Bianco e nero	3000	In fogli	4"x5" in fogli (dorso 545)	Come le 667, 107, 107C, 87.	1961-2007
58 Polacolor ER (Polaroid)	Colore	75	In fogli	4"x5" in fogli (dorso 545)	Stessa emulsione delle 48 e 38. La Polacolor 1 richiede supporto di stampa.	1963-1975
58 Polacolor ER (Polaroid)	Colore	75	In fogli	4"x5" in fogli (dorso 545)	Versione 2 della precedente, non richiede supporto di stampa.	1975-1981
59 Polacolor ER (Polaroid)	Colore	80	In fogli	4"x5" in fogli (dorso 545)	Versione migliorata delle Type 58; simile alla Type 669 a eccezione del formato.	1981-2007

Pellicola	Caratteristiche	ISO	Tipo	Tipo fotocamera	Note	Anno
Polacolor 64 Tungsten (Polaroid)	Colore	64	In fogli	4"x5" in fogli (dorso 545)	Confusamente, ha lo stesso nome della variante peel-apart della Type 100.	1992-2007
72 (Polaroid)	Bianco e nero	400	In fogli	4"x5" in fogli (dorso 545)	Polapan 400. Stessa emulsione delle 572 e 672.	?-2007
79 (Polaroid)	Colore	100	In fogli	4"x5" in fogli (dorso 545)	Polacolor Pro 100. Stessa emulsione delle 579, 679, 689.	1996-2007
510 (Polaroid)	Bianco e nero	10000	In fogli	4"x5" in fogli (dorso 545)	High speed, contrasto elevato per fotografare oscilloscopi.	1965-1967
803 (Polaroid)	Bianco e nero	800	In fogli	8"x10" in fogli holder/sviluppatrice	Richiede holder e sviluppatrice a parte. Coaterless.	1987-2007
804 (Polaroid)	Bianco e nero	100	In fogli	8"x10" in fogli holder/sviluppatrice	Come 803, Polapan Pro 100, 554, 664 ecc. Coaterless, holder e sviluppatrice.	1989-2007
808 (Polaroid)	Colore	80	In fogli	8"x10" in fogli holder/sviluppatrice	Richiede holder e sviluppatrice a parte. Come 58, 668/108.	1977-1984
809 (Polaroid)	Colore	80	In fogli	8"x10" in fogli holder/sviluppatrice	Versione migliorata della Type 808. Stessa emulsione delle Type 59 e 669. Richiede holder e sviluppatrice a parte.	1981-2007
811 (Polaroid)	Bianco e nero	200	In fogli	8"x10" in fogli holder/sviluppatrice	Richiede holder e sviluppatrice a parte.	1978-?
891 (Polaroid)	Colore	80/20 pos/tran	In fogli	8"x10" in fogli holder/sviluppatrice	Richiede holder e sviluppatrice a parte. Polaroid Colorgraph per trasparenze.	1980-1998
20x24 P3 Polacolor ER (prodotta da Polaroid poi da 20x24 Holdings)	Colore	80	20"x24" roll film	Polaroid 20x24	Versione XL delle 669, 809 ecc. Il laboratorio John Reuter le prepara ancora. Pellicola aggiornata in date variabili su formati Polaroid piccoli.	Data non definibile
20x24 P7 Polacolor (prodotta da Polaroid poi da 20x24 Holdings)	Colore	100	20"x24" roll film	Polaroid 20x24	Versione XL delle 690, Pro 100 ecc. John Reuter le prepara ancora. Pellicola aggiornata in date variabili su formati Polaroid piccoli.	Data non definibile
20x24 Polapan 400 (Polaroid)	Bianco e nero	400	20"x24" roll film	Polaroid 20x24	Come 672, con gamma tonale ampia. Non più disponibile.	Data non definibile
SX-70 (Polaroid)	Colore	150	Integral (batteria inclusa)	SX-70	Prima integral. L'ultima peel-apart a colori usava i pigmenti della SX-70.	1972-1976
Time Zero/ SX-70 Time Zero (Polaroid)	Colore	150	Integral (batteria inclusa)	SX-70	Tempo di sviluppo ridotto rispetto alla SX-70. Nomi diversi.	1978-2006
778 (Polaroid)	Colore	150	Integral (batteria inclusa)	SX-70	SX-70 professionale. Il 10% delle migliori pellicole da ogni stock.	1978-2006
708 (Polaroid)	Colore	150	Integral	Face Place Photobooth	Bizzarria. Senza batteria, usata per Face Place photobooth e dorsi non alimentati.	1977-?
SX-70 Blend	Colore	150	Integral (batteria inclusa)	SX-70	Non manipolabile. Filtro ND incluso per SX-70, altrimenti simile alla 600.	2006-2007
Artistic TZ (Chimica Polaroid venduta da Polapremium/ Unsaleable)	Colore	150	Integral (batteria inclusa)	SX-70	Edizione limitata che usa reagenti Polaroid scaduti da Enschedé. Unsaleable/Polapremium diventata Impossible. Come tutte le pellicole basate su SX-70 è manipolabile.	2007
Fade to Black (Chimica Polaroid venduta da Polapremium/ Unsaleable)	Colore	150	Integral (batteria inclusa)	SX-70	Diventa nera in 24 ore (reagenti scaduti). Separare la pellicola quando si ha il risultato desiderato per fermare il processo. Manipolabile.	2009

Pellicola	Caratteristiche	ISO	Tipo	Tipo fotocamera	Note	Anno
600 (Polaroid)	Colore	640	Integral (batteria inclusa)	600 serie integral	Diverse versioni tra cui 600 plus, platinum, 780 Turbo e alta definizione. Non manipolabile.	1981-2008
600 matte/Alter image/Write-On (Polaroid)	Colore	640	Integral (batteria inclusa)	600 serie integral	Superficie matte su cui è possibile scrivere. Varie edizioni: Barbie, Looney Tunes ecc.	1997-?
600 Bianco e nero (Polaroid)	Bianco e nero	640	Integral (batteria inclusa)	600 serie integral	Conosciuta anche come monochrome. Instabile e poco contrasto.	1997-2002
600 copy and fax (Polaroid)	Bianco e nero	640	Integral (batteria inclusa)	600 serie integral	La cartuccia ha uno schermo halftone per semplificare la copia.	1998-2002
779 (Polaroid)	Colore	640	Integral (batteria inclusa)	600 serie integral	Versione professionale delle 600.	1989
2000 film, in seguito 700 (Polaroid)	Colore	640	Integral (batteria inclusa)	Solo 700/2000 serie integral (cartuccia modificata per essere utilizzata solo con questi modelli)	Prodotta per entrare nella fascia economica del mercato delle istantanee. Nel 1996 fu introdotto un modello specifico per la Cina, la 2000, seguita dalle 780/790. Accettavano 600, 2000 e, in seguito, le 700.	1996-?
Image (Polaroid)	Colore	600	Integral (batteria inclusa)	Spectra/Image	Molto simile alla 600 ma più grande. L'area immagine è di 3,6"x2,9" (9,1x7,3 cm). Versione internazionale.	1986-2007
Spectra (Polaroid)	Colore	640	Integral (batteria inclusa)	Spectra/Image	Rimarchiata e migliorata diverse volte, incluse High Definition, Platinum e 700 (da non confondere con la 700 in stile 600 qui sopra). Uguale a Image film.	1986-2007
Spectra Grid film (Polaroid)	Colore	640	Integral (batteria inclusa)	Spectra/Image	Presenta delle griglie utili per la fotografia medica/Macro 3 e 5.	1998-?
Type 1200 (Polaroid)	Colore	640	Integral (batteria inclusa)	Spectra/Image	12 scatti per pack, per il resto, uguale alla Spectra.	2002-2007
Type 990 (Polaroid)	Colore	640	Integral (batteria inclusa)	Spectra/Image	Versione Pro delle Spectra/Image High Definition.	?-2007
Image Softtone (chimica Polaroid venduta da Polapremium/ Unsaleable)	Colore	640	Integral (batteria inclusa)	Spectra/Image fotocamere marchiate	Lotto limitato, prodotto dal gruppo che poi diventò Impossible Project. Confezione di Giambarba, reagenti chimici scaduti. Basso contrasto, tonalità pastello.	2007-2008
ColorShot (Polaroid)	Colore	640	Integral	Stampante ColorShot	Priva di batteria, destinata all'uso con le stampanti Windows tipo ColorShot.	1998
Captiva 95 (Polaroid)	Colore	640	Integral (batteria inclusa)	Captiva/Vision/ Joycam	10 scatti per cartuccia. Introdotta con la fotocamera Captiva. 4,4"x2,5" (11,2x6,3 cm).	1993-1998
Vision 95 (Polaroid)	Colore	640	Integral (batteria inclusa)	Captiva/Vision/ Joycam	Versione per i mercati internazionali del modello qui sopra. Intercambiabile.	1993-1998
Type 500 (Polaroid)	Colore	640	Integral (batteria inclusa)	Captiva/Vision/ Joycam	Versione aggiornata delle pellicole Captiva/Joycam con nome standard.	1998-2006
Phototape 608 (Polaroid)	Colore	40	Movie film (senza audio)	Polavision/visore	Richiede Polavision processor. No audio. Pellicola originale Polavision.	1977-1980
Phototape 617 (Polaroid)	Bianco e nero	125	Movie film (senza audio)	Polavision/visore	Pancromatica, destinata ad applicazioni scientifiche.	1980-1988
Phototape 618 (Polaroid)	Colore	40	Movie film (senza audio)	Polavision/visore	Versione rivista della 608, dopo che Polaroid ha dismesso le fotocamere.	1980-1988
PolaBlue CN (Polaroid)	Blu su bianco	8	Diapositive Instant 35mm	35mm o Polaroid Autoprocessor	12 scatti. Basata sul sistema di sviluppo Polavision.	1987-?

Pellicola	Caratteristiche	ISO	Tipo	Tipo fotocamera	Note	Anno
PolaChrome CS (Polaroid)	Colore	40	Diapositive Instant 35mm	35mm o Polaroid Autoprocessor	24 o 36 pose. Versione Additive Colore della pellicola diapositiva.	1983-?
PolaChrome HCP (Polaroid)	Colore	40	Diapositive Instant 35mm	35mm o Polaroid Autoprocessor	12 pose. Contrasto elevato, saturata, versione della pellicola Colore.	1986-?
PolaGraph (Polaroid)	Bianco e nero	400	Diapositive Instant 35mm	35mm o Polaroid Autoprocessor	12 pose. Contrasto elevato. Per riproduzioni line-art.	1983-?
PolaGraph HC (Polaroid)	Bianco e nero	400	Diapositive Instant 35mm	35mm o Polaroid Autoprocessor	24 o 36 pose. Contrasto elevato. Per riproduzioni line-art.	1983-?
Polapan CT (Polaroid)	Bianco e nero	125	Diapositive Instant 35mm	35mm o Polaroid Autoprocessor	12 o 36 pose. Contrasto medio, tono continuo, uso generico.	1983-?
FP-100C (Fuji)	Colore	100	Peel-apart	Type 100/dorso	Compatibile con fotocamere Type 100 e dorsi. Ancora molto utile.	1987-2016
FP-100B (Fuji)	Bianco e nero	100	Peel-apart	Type 100/dorso	Fuji ha prodotto una versione a 500 ISO, dalla vita molto breve.	ca.1985-2011
FP-3000B (Fuji)	Bianco e nero	3000	Peel-apart	Type 100/dorso	Grana fine, pancromatica. Adatta ad applicazioni industriali.	ca.1985-2013
FP100C-45 (Fuji)	Colore	100	Peel-apart	Polaroid 550 4"x5" dorso	Come con la FP-100C, possiamo sollevare, trasferire e usare il negativo.	ca.1985-2012
FP-100B-45 (Fuji)	Bianco e nero	100	Peel-apart	Polaroid 550 4"x5" dorso	Fuori produzione.	ca.1985-2011
FP-3000B-45 (Fuji)	Bianco e nero	3000	Peel-apart	Polaroid 550 4"x5" dorso	Fuori produzione.	ca.1985-2012
NEW 55 (anche fatta da New 55)	Bianco e nero	Variabile (vedi lotto)	In fogli	4"x5" in fogli (dorso 545)	Positivo/negativo (recupero negativo New 55).	2014-presente
Pellicola a colori per SX-70 (Impossible)	Colore	125 (varia)	Integral (batteria inclusa)	SX-70	8 scatti per pack. Le versioni precedenti erano chiamate PX-70.	2010-presente
B/N per SX-70 (Impossible)	Bianco e nero	100	Integral (batteria inclusa)	SX-70	8 scatti per pack. Le versioni precedenti erano soggette al killer crystal.	2010-presente
Pellicola a colori per 600(Impossible)	Colore	680	Integral (batteria inclusa)	Serie 600 integral	8 scatti per pack. Le versioni precedenti erano chiamate PX-680.	2010-presente
B/N per 600 (Impossible)	Bianco e nero	600	Integral (batteria inclusa)	Serie 600 integral	8 scatti per pack. Le versioni precedenti includevano Silver Shade, UV+ e Cool. Erano soggette al killer crystal.	2010-presente
Pellicola a colori per Spectra (Impossible)	Colore	680	Integral (batteria inclusa)	Spectra e Image marchiate	8 scatti per pack. Le versioni precedenti erano chiamate PZ.	2011 – presente
B&N per Image/Spectra (Impossible)	Bianco e nero (8 scatti per pack)	680	Integral	Spectra/Image	Le versioni precedenti erano chiamate PZ. Seguono approssimativamente le Impossible 600 B/N.	2011-presente
B/N per 8"x10" (Impossible)	Bianco e nero (10 scatti per scatola)	640	8"x10" in fogli (semi-integral)	8"x10" in fogli holder/sviluppatrice	Richiede holder e sviluppatrice per appaiare gli strati. Precedentemente conosciuta come PQ.	2014-presente
Pellicola colori per 8"x10" (Impossible)	Colore (10 scatti per scatola)	640	8"x10" in fogli (semi-integral)	8"x10" in fogli holder/sviluppatrice	Richiede holder e sviluppatrice per appaiare gli strati. Precedentemente conosciuta come PQ.	2012-presente

Nota: Esistono molte altre pellicole 600, compatibili con fotocamere 600. Molte richiedono bordi o maschere.

Le pellicole I-Zone non sono elencate in quanto la compatibilità è evidente e la loro vita piuttosto breve. Le date sono relative ai periodi di produzione, non alla scadenza. Aggiungiamo uno o due anni alla data di fine produzione per determinare la scadenza.

Ringraziamenti

Per prima cosa vorrei ringraziare Edwin Land per aver dato vita alla Polaroid e Florian Kaps per aver tenuto vivo il sogno. Senza queste due splendide persone, non avrei mai assaporato il piacere dell'estesa famiglia della fotografia istantanea, della quale mi sento parte.

Il mondo della fotografia istantanea ha cambiato la mia vita. Grazie al calore di chi vi partecipa, adesso ho amici in tutto il mondo. Con tutti voi, la fotografia non è più un'occupazione solitaria e avete avuto una parte nella vita di questo progetto. In particolare ringrazio EZS, CDV, Rommel Pecson, Enrique Freaza, Richard Bevan, Philippe Bourgoin e la redazione originale di Polanoid.net per la vostra amicizia e per le tante avventure vissute!

Grazie a tutti gli artisti che mi hanno permesso di riprodurre i propri lavori e a quelli che hanno rinunciato al loro prezioso tempo per condividere storie e competenze. A Deborah Douglas del MIT Museum, per avermi permesso di rovistare nelle scatole, a Chris Bonanos, per aver risposto a tutte le mie domande, a John Reuter e Nafis Azad, dello studio 20"x24": grazie per la visita, la conversazione, il pranzo e la foto, a Bob Crowley e Sam Hiser di New 55 per il loro tempo, a Paul Giambarba per la splendida giornata sul Cape, a Elsa Dorfman per avermi sempre fornito ispirazione, a Melissa Murphy della Baker Library per l'archivio immagini e a Franz Edtberger per le molte foto della sua collezione. Un ringraziamento speciale al team MiNT e a The Impossible Project (inclusi Stephen Herchen, Pierre Darnton, Alex Holbrook, Amy Heaton, Heinz Boesch e Oskar Smołokowski).

A Barbara Conway, mia insegnante della scuola secondaria, che ha permesso alla mia passione per le Polaroid di fiorire: grazie per avere sempre avuto una mente aperta! A Kate Slotover, che mi ha spinto a fare ciò e ha fatto miracoli con il progetto.

A Octavia, che non è più con noi: questo libro avrebbe dovuto portare anche il tuo nome. A Rossella Castello per il dono della perfetta tempistica, un viso fotogenico, mano ferma e un ottimo umore. Alla squadra di Thames & Hudson (Andrew, Amanda, Blanche, Nicola, Johanna) per aver fatto questo lavoro. Naturalmente, il più grande ringraziamento va al mio compagno, agli amici e alla famiglia che mi hanno spronato in tutto questo viaggio. So di essere stata al limite dell'ossessione, solitaria incallita e intollerabilmente noiosa: le mie scuse a tutti. Non posso che migliorare! Il premio per la sopportazione, con amore, va soprattutto a Carli Pearson: non ce l'avrei fatta senza di te. Grazie anche a Cari Campbell, Jo Cantlay, Laura Pannack e Anka Dabrowska: mi avete distratto quando ne avevo più bisogno!

Come sempre, con amore alla mia famiglia: Mamma, Melinda, Josh, Papà e alla mia non così piccola sorella Naia, come pure alla mia famiglia "adottiva", a Graham, Mette (e ai Bak-Andersens), e al clan Pearson/Nicoll: Odette, Alan, Rona, Lin e Les.

Ringraziamenti per le immagini

Le immagini, se non diversamente indicato, sono dell'autrice. Le immagini sono individuate dal numero di pagina.

Legenda
a = in alto, b = in basso, c = al centro, s = sinistra, d = destra.

4, 94 (IV fila, c), 164 Louis Little;
5, 10 (icone fotocamere 1-4) Patricia Martinez;
10 (icone fotocamere 5-6), 16, 67 (c), 73 (a), 83, 87, 90 per gentile concessione di The Impossible Project;
12 (b) Meroë Marston Morse;
13 (b), 20-21 Polaroid Corporation Records, Baker Library, Harvard Business School;
13 (b) J. J. Scarpetti, per gentile concessione di Rowland Institute, Harvard;
24 (t) per gentile concessione di Baker Library, Harvard Business School;
18 *Pick a Number* per gentile concessione di Adam & Eve DDB/Polaroid;
19 tutte le immagini per gentile concessione di Paul Giambarba;
23, 43 per gentile concessione di The Impossible Project/Society for Imaging Science and Technology, riprodotte da *Edwin H. Land's Essays*;
24 (c) Polaroid Corporate Archives/Arcadia Publishing;
25 (bs), 44, 66 foto Rhiannon Adam, immagini riprodotte per gentile concessione del MIT Museum;
25 (bd) per gentile concessione di Option8/instantoptions.com;
27 (a) *Boycott Polaroid* adesivo del Polaroid Revolutionary Workers Movement, riprodotto per gentile concessione di The African Activist Archive/Michigan State University;
14-15, 27 (c, b), 28 (c, b), 32, 39, 46 (b), 47 (1-5 e 7-9), 56, 59, 61, 63, 67 (b), 68, 69 (b), 70-71, 76, 77 (b), 81 (cd) immagini di fotocamere per gentile concessione di Franz Edtberger;
28 (a) Tim Williams;
41 per gentile concessione di Elsa Dorfman;
45 (b, a) Polaroid;
45 (c) Co Rentmeester/Time & Life Pictures;

46 (a) 2016 Eames Office, LLC (www.eamesoffice.com);
46 (c) Wolf Von Dem Bussche, 1972, riprodotte da Photography Year 1973/*Time Life International*;
47 (immagine 6), 81 (bd, bs) per gentile concessione di MiNT;
57 (a) per gentile concessione di Paul Giambarba;
60 (s) Grant Hamilton (www.sxseventy.com);
67 (a) immagine di Enrique Valdivia;
69 (a) Maurizio Galimberti (www.mauriziogalimberti.it);
74-75, 98 (cd), 141 (as) Ina Echternach;
77 (a) Steven Monteau;
78, 79 (a, c, b) Fujifilm Holdings Corporation;
79 (bs), 80, 81 (ad) Lomographische AG;
80 (a) Leica Fotocamera AG;
84 Ray Liu (www.rayliu.co.uk);
88-89 foto dell'autrice, film pack per gentile concessione di The Impossible Project;
91 (as, bd), 94 (fila b, s), 165, 169 (cs, bs) Daniel Meade;
91 (cd), 130-133, 185 (as), 223 (cs) Thomas Zamolo;
92-93, 158 (a) Maija Karisma;
94 (fila a, s; V fila, cd), 95 (fila a, cd; II fila, d; IV fila, s; fila b, d) 198 (ad, bd) Annie France Noël;
94 (fila a, d), 122 (as, ad, cd), 145 (c, bs), 169 (bd), 177 (as), 204 (b), 218 (b), 220 (ad) Enrique Freaza;
94 (fila b, d), 169 (as), 172 (a), 173, 177 (ad, cd) Brian Henry;
94 (III fila, cd, d), 95 (II fila, c; V fila, c), 145 (as) Anne Locquen;
94 (fila b, cd), 112 (a, bs), 168 (bs) Brandon C. Long;
94 (fila a, c), 95 (III fila, cs; IV fila, s; IV fila, cd; V fila, s), 98 (cs) Amanda Mason;
94 (fila b, c), 159 (ad, cd) David Salinas;
94 (V fila, d), 95 (IV fila, cs), 123 (bd), 161 (as), 220 (bs, bd), 222 (bd), 223 (a, cd) Zora Strangefields;
94 (fila b, cs), 105 David Teter;
94 (IV fila, d), 95 (III fila, cd; fila b, s, cd), 96, 97 (b), 152 (bs, bd), 153, 154, 158 (b), 159 (cs), 212, 218 (a, c) Ritchard Ton;
94 (fila a, cd), 95 (II fila, cs; III fila, s) Emilie Trouillet;
94 (II fila, d), 95 (II fila, s) Kat White;
95 (fila a, d), 199 Hazel Davies;
95 (fila b, cs), 102 (as), 106 (ad, bs, bd),

152 (cs, cd) Toby Hancock;
95 (V fila, cs) Emilie Lefillec;
95 (fila b, c) Guillaume Nalin;
95 (III fila, c), 109 Rommel Pecson;
95 (fila a, s), 101 (bd), 102 (cs, bs) Dan Ryan;
95 (II fila, cd), 106 (as) S.F. Said;
95 (III fila, d), 221 Edie Sunday;
98 (as), 112 (bd) Penny Felts;
98 (ad) Juli Werner;
98 (b), 99 (bc, bd) Benjamin Innocent (con Celina Wyss);
99 (as, ad, cs) Nick Carn;
99 (c), 176 (bs), 181 (b) Phillippe Bourgouin;
99 (cd) Sarah Seene;
102 (ac) Marion Lanciaux;
106 (cs) Jimmy Lam;
111 (ad) Ludwig West;
122 (bd) Eduardo Martinez;
123 (as, ad, bs) Carmen De Vos;
123 (cd) Dominik Werdo;
128 (bs, cd, bd) Drew Baker;
129 (fila c) Mathieu Mellec;
129 (bs) Lucile Le Doze;
129 (bd) Lou Noble;
139 John Nelson;
141 (ad) Jennifer Bouchard;
141 (b) Bob Worobec;
145 (ad) Martin Cartright;
145 (bd) Anne Bowerman;
149 Lawrence Chiam;
152 (as, ad), 222 (bs) Filippo Centenari;
155, 161 (cs, cd, bs, bd) Chad Coombs;
159 (as), 219 (bs, bd) Maritza De La Vega;
168 (as, ad) Oliver Blohm;
169 (ad) Amalia Sieber;
172 (b) Julian Humphries;
176 (a) Scott McClarin;
176 (bd) Sean Rohde;
177 (b) Adela G. Capa;
181 (as, ad) Andrew Kua;
181 (c) Susanne Klostermann;
182 Ron O'Connor;
185 (cs, bs) Bastian Kalous;
188 (a), 189 (a) Patrick Winfield;
188 (b) Simone Bærentzen;
189 (bs) Michael Mendez;
189 (bd) Nick Marshall;
190 Toshihiro Oshima;
191 Britta Hershman;
195 Robert Solywoda;
198 (as, cs, bs) Dominic Alves;
217 Arnaud Garcia;
218 (ac, ad, cs, c, cd), 222 (ac, ad, cs, c, cd), 223 (b) Jérôme Cirnolai.

Bibliografia

Storica

Christopher Bonanos, *Instant: The Story of Polaroid*, New York 2010
Peter Buse, *The Camera Does the Rest: How Polaroid Changed Photography*, Chicago 2016
Alan R. Earls, Nasrin Rohani, Marie Cosindas, *Images of America: Polaroid*, Charleston 2005
Ronald K. Fierstein, *A Triumph of Genius: Edwin Land, Polaroid and the Kodak Patent War*, Chicago 2015
Paul Giambarba, *The Branding of Polaroid* (self-published, 2012)
Florian Kaps, *Polaroid: The Magic Material*, London 2016
Victor McElheny, *Insisting on the Impossible: The Life of Edwin Land*, London 1998
Mark Olshaker, *The Instant Image*, New York 1978
Peter C. Wensberg, *Land's Polaroid: A Company and the Man Who Invented It*, Boston 1987
Richard Saul Wurman, *Polaroid Access: Fifty Years*, New York 1989

Didattica

Ansel Adams, *Polaroid Land Photography Manual*, New York 1963
Jennifer Altman, Susannah Conway, Amanda Gillingham, *Instant Love: How to Make Magic and Memories with Polaroids*, San Francisco 2012
Helen T. Boursier, *Watercolour Portrait Photography: The Art of Polaroid SX-70 Manipulation*, New York 2000
Kathleen Thormod Carr, *Polaroid Transfers: A Complete Visual Guide to Creating Image and Emulsion Transfers*, New York 1997
Kathleen Thormod Carr, *Polaroid Manipulations*, New York 2002
John Dickson, *Instant Pictures: The Complete Polaroid Land Camera Guide*, London 1964
Eithne Farry, *Polaroid: How to Take Instant Photos*, London 2015
Michael Freeman, *Instant Film Photography: A Creative Handbook*, London 1985
Christopher Grey, *Polaroid Transfer Step-By-Step*, New York 2002
Florian Kaps, Marlene Kelnreiter, The Impossibe Project (a cura di), *101 Ways to do Something Impossible*, Vienna 2012
John Wolbarst, *Pictures in a Minute*, Berkeley 1960

Monografie di artisti

Miles Aldridge, *Please Return Polaroid*, Göttingen 2016
Nobuyoshi Araki, *Polaeroid*, Cologne 1997
Sibylle Bergemann, *The Polaroids*, Osfildern 2011
Andreas H. Bitesnich, *Polanude*, New York 2006
Tom Bianchi, *Fire Island Pines: Polaroids, 1975-1983*, Bologna 2013
Guy Bourdin, *Polaroids*, Paris 2009

Mike Brodie, *Tones of Dirt and Bone*, Santa Fe 2015
Philip-Lorca diCorcia, *Thousand*, Göttingen 2007
Sante D'Orazio, *Polaroids*, San Francisco 2016
Fulvio Ferrari, Napoleone Ferarri, *Carlo Mollino: Polaroids*, Santa Fe 2002
Arno Fischer, *Der Garten/The Garden*, Ostfildern 2007
Robert Frank, *Seven Stories*, Göttingen 2009
H.R. Giger, *Polaroids*, Switzerland 2014
Richard Hamilton, *Polaroid Portraits, voll. I-IV*, Stuggart 1972-2001
Robert Heinecken, *Lessons in Posing Subjects*, Brussels 2014
André Kerteész, *The Polaroids*, Robert Gurbo (a cura di), New York 2007
Robert Mapplethorpe, *Polaroids*, David Frankel (a cura di), Munich 2007
Mary Ellen Mark, *Twins*, New York 2003
Daido Moriyama, *White and Vinegar*, Tokyo 2012
Robby Müller, *Polaroid (Interior; Exterior)*, Marente Bloemheuvel, Annet Gelnick, Jaap Guldemond (a cura di), Cologne 2016
Helmut Newton, *Pola Woman*, June Newton (a cura di), Munich 1996
Helmut Newton *Polaroids*, June Newton (a cura di), Cologne 2011
Jon Nicholson, *Seaside Polaroids*, Munich 2013
Jeff L. Rosenheim, *Walker Evans: Polaroids*, Zurich 2002
Lia Saile, *Frail: The Impossible Project*, Vienna 2011
Lucas Samaras, *Photo-Transformations*, New York 1976
Julião Saramento, *95 Polaroids SX70*, Gent 2012
Stefanie Schneider, *Instant Dreams*, Christoph Bamberg, Stefanie Harig, Marc A. Ullrich (a cura di), Berlin 2014
Stefanie Schneider, *Wastelands*, Thomas Schirmböck (a cura di), Berlin 2006
Mike Slack, *Ok Ok Ok*, The Ice Plant, Los Angeles 2006
Mike Slack, *Scorpio*, The Ice Plant, Los Angeles 2006
Mike Slack, *Pyramids*, The Ice Plant, Los Angeles 2009
Patti Smith, *Camera Solo*, exh. cat., Wadsworth Atheneum Museum of Art, New Haven 2011
Mike Slack, *Land 250*, London 2008
Peter Strehle, *Lost Stories*, Stuggart 2013
Ralph Steadman, *Paranoids*, London 1986
Diego Uchitel, *Polaroids*, Bologna 2012
Gus Van Sant, *One Step Big Shot*, Munich 2010
Andy Warhol, *Red Books*, Göttingen 2004
William Wegman, *Polaroids*, New York 2002
Richard B. Woodward, Reuel Golden, *Andy Warhol Polaroids, 1958-1987*, Cologne 2015

Elenco dei collaboratori

Dominic Alves — www.flickr.com/photos/dominicspics/albums/72157622910488534

Drew Baker — www.flickr.com/people/drewbaker/?rb=1

Oliver Blohm — www.oliverblohm.com

Jennifer Bouchard — www.jbbouchard.com

Philippe Bourgoin — www.flickr.com/people/philippebourgoin

Anne Bowerman — www.flickr.com/people/anniebee

Adela Capa — www.flickr.com/photos/adelagomez

Nicholas Carn — www.nicholascarn.tumblr.com

Martin Cartright — www.flickr.com/photos/skink74

Filippo Centenari — www.filippocentenari.it

Lawrence Chiam — www.lawchiam.com

Jerome Cimolai — www.flickr.com/people/cimolaijerome

Chad Coombs — www.chadcoombs.com

Hazel Davies — www.hazeldavies.co.uk

Maritza De La Vega — www.flickr.com/people/zazazed

Carmen De Vos — www.carmendevos.com

Ina Echternach — www.polaroid-fotografie.de

Penny Felts — www.pennyfelts.com

Annie France Noel — www.anniefrancenoel.com

Enrique Freaza — www.urizen.es/contact.html

Maurizio Galimberti — www.mauriziogalimberti.it

Arnaud Garcia — www.flickr.com/people/85728017@N00/?rb=1

Justin Goode — https://goodephotography.wordpress.com

Grant Hamilton — www.sxseventy.com

Toby Hancock — www.tobysx70.tumblr.com

Brian Henry — www.instantdecay.com

Britta Hershman — www.brittahershman.com

Julian Humphries — www.flickr.com/people/austintexas

Benjamin Innocent — www.instagram.com/mr._muse

Bastian Kalous — www.bastiankalous.com

Maija Karisma — www.kaiku-ja.blogspot.co.uk

Susanne Klostermann — www.susanneklostermann.jimdo.com

Andrew Kua — www.fuzzyeyeballs.com/blog

Jimmy Lam — www.jimmyjlphotography.com

Marion Lanciaux — www.flickr.com/people/mironabside

Lucile Le Doze — www.flickr.com/people/64952646@N04/?rb=1

Emilie Lefellic — www.flickr.com/emilie79

Louis Little — www.louislittle.co.uk

Ray Liu — www.rayliu.co.uk

Anne Locquen — www.instagram.com/annette1817

Brandon Long — www.theonlymagicleftisart.com

Nick Marshall — www.flickr.com/photos/nmarshall

Eduardo Martínez Nieto — www.pocketmemories.net

Amanda Mason — www.amandamason.com.au

Scott McClarin — www.flickr.com/photos/smcclarin

Daniel Meade — www.dan-meade.com

Mathieu Mellec — www.instagram.com/snapshots.and.bruises

Michael Mendez — www.flickr.com/people/michaelmendez

Steven Monteau — www.facebook.com/stevenmonteau

Guillome Nalin — www.flickr.com/people/nguillome

John Nelson — www.flickr.com/people/96421883@N04/?rb=1

Lou Noble — www.louobedlam.com

Ron O'Connor — www.flickr.com/people/ronphoto594

Toshihiro Oshima — www.flickr.com/people/tommyoshima

Rommel Pecson — www.cargocollective.com/pecson

Marian Rainer-Harbach — www.flickr.com/people/marianrh

Sean Rohde — www.moominsean.blogspot.co.uk

Dan Ryan — www.adreamofwhitehorses.blogspot.co.uk

S.F. Said — www.flickr.com/people/thegentlemanamateur

David Salinas — www.thelowestfidelity.blogspot.co.uk

Sarah Seene — www.flickr.com/people/welcometosarahland

Amalia Sieber — www.amaliachimera.com

Simone Bærentzen — www.eggzakly-photography.blogspot.co.uk

Robert Solywoda — http://robertsolywoda.wix.com/photography

Zora Strangefields — www.zorastrangefields.com

Edie Sunday — www.ediesunday.com

David Teter — www.flickr.com/people/davidteter

Emilie Trouillet — www.ahbahbravo.tumblr.com

Ritchard Ton — www.flickr.com/people/sx70manipulator

Dominik Werdo — www.loss-of-light.blogspot.co.uk

Juli Werner — www.madorangefools.com

Ludwig West — www.flickr.com/people/ludwigwest

Kat White — www.katwhite.com.au

Patrick Winfield — www.patrickwinfield.com

Bob Worobec — www.flickr.com/photos/boab

Thomas Zamolo — www.thomaszamolo.com

Rivenditori

Produttori pellicole e fotocamere

20"x24" Studio www.20x24studio.com

Fuji www.fujifilm.com/worldwide

Impossible Project www.impossible-project.com

Leica https://en.leica-camera.com/Photography

Lomography www.lomography.com

MiNT www.mint-camera.com

New55 www.new55.net

Rivenditori

Adorama www.adorama.com/l/Films-and-Darkroom/Film/Instant-Film

B&H Photo www.bhphotovideo.com

CatLABS www.catlabs.info

eBay www.ebay.com

Roger Garrell www.stores.ebay.co.uk/polaroidcamerasfromfastcat99

Jessops www.jessops.com

Erik Karstan Smith www.ebay.com/usr/dr.frankenroid

Mr Cad www.mrcad.co.uk

The Photographer's Gallery www.thephotographersgallery.org.uk

Polamad www.polamad.com

Shutter + Light https://shutterpluslight.com/shop

Supersense http://the.supersense.com

Urban Outfitters www.urbanoutfitters.com

West End Cameras www.westendcameras.co.uk

Riparazione, Rinnovatori, Hacks and Mods

www.chriswardsecondshot.com
www.instantoptions.com
www.landcameras.com

Batterie

www.hellobatteries.co.uk
www.maplin.co.uk (per conversioni di batterie)
www.smallbattery.company.org.uk

Filtri

B+W www.schneideroptics.com
Hoya www.hoyafilter.com
Lee Filters www.leefilters.com
Rosco http://us.rosco.com/en/products

Prodotti per camera oscura

Silverprint www.silverprint.co.uk
Sunprint www.sunprints.org

Soluzioni per l'archiviazione

http://holgamods.com/holgamods/3D_Stuff.html
https://squareup.com/store/photole-photography
www.preservationequipment.com
www.secol.co.uk

Cornici

www.ebay.co.uk/usr/midnight_gallery
www.instantframing.blogspot.co.uk
www.ikea.com
www.muji.com

Custodie

www.caselogic.com (folding sonar cameras)
http://en.unitportables.com (SX-70s I-1s)

Editori

www.prymeeditions.com
www.redfoxpress.com

Guide

https://danfinnen.com/photography/
http://polaroids.theskeltons.org
https://support.impossible-project.com/hc/en-us
www.butkus.org/chinon/polaroid.htm
www.chemie.unibas.ch/~holder/SX70.html
www.filmphotographyproject.com
www.filmwasters.com
www.flickr.com/photos/aspectsoflight/sets/72157628059730518
www.giam.typepad.com/the_branding_of_polaroid_/
www.ifixit.com/Guide/Polaroid+Automatic+100+Bellows+Replacement/41629
www.instantoptions.com
www.instructables.com/id/Packtasticor-How-to-use-100-Series-Film-in-an-

www.landlist.ch/landlist/landhome.htm
www.lightsquared.tumblr.com
www.moominsean.blogspot.co.uk
www.photodreamfactory.blogspot.co.uk/2011/11/cokin-
filters-for-polaroid-land-camera.html
www.polaroidland.net
www.rangefinderforum.com
www.silverbased.org

www.polaroiders.ning.com
www.polaroid-passion.com
www.snapitseeit.com
www.the1212project.com

Guardare/condividere lavori online

https://magazine.the-impossible-project.com/submit
https://twitter.com/polaroidweek
www.instantfilmsociety.com
www.polanoid.net

Informazioni sulla sicurezza

Consigli generali

Sebbene molte delle tecniche illustrate in questo libro
non prevedano contatti con sostanze chimiche, alcune
includono l'apertura delle pellicole e quindi l'esposizione
ai reagenti chimici che si trovano al loro interno. Le
sostanze chimiche liquide per lo sviluppo contenute nelle
più comuni pellicole istantanee sono altamente alcaline
e possono provocare bruciature di medio livello
alla pelle sensibile. Evitiamo il contatto con la pelle
indossando guanti protettivi e, nel caso di contatto,
rimuoviamo le sostanze e laviamo subito la pelle con
acqua e sapone. Quando lavoriamo all'aperto, portiamo
con noi delle salviette detergenti per poter rimuovere
i reagenti chimici.

Alcune tecniche richiedono l'uso del calore. Se abbiamo
aggiunto dei prodotti chimici alle foto, prima di provare
a scaldarle leggiamo attentamente le istruzioni sulle
confezioni. Potrebbero verificarsi reazioni chimiche
incontrollate.

Quando mettiamo delle foto istantanee nel microonde
possono svilupparsi fiamme. Teniamolo sempre a potenze
basse e non allontaniamoci durante l'uso.

Sostanze chimiche

Sodio ipoclorito e perossido di idrogeno
(Polaroid destruction)
Si tratta di agenti sbiancanti contenuti in diversi prodotti
per la pulizia domestica. Sebbene siano sostanze comuni,
sono estremamente corrosive, quando concentrate, e
possono causare danni alla pelle e agli occhi. Non ingerire.
Indossare indumenti protettivi, guanti e occhiali.

Solfito di sodio (tecnica negative clearing).
Sale dell'acido solforoso, è lievemente irritante, ma
nocivo se inalato o quando viene in contatto con la pelle.
Può causare seria irritazione degli occhi e, a contatto
con sostanze acide, liberare gas solforosi tossici. Evitare
l'ingestione e indossare indumenti protettivi, guanti,
occhiali e maschere respiratorie. Se viene a contatto con gli
occhi, sciacquare abbondantemente e a lungo con acqua
corrente.

Ferrocianuro di potassio (Tecnica cianotipie)
Questa polvere rosso acceso, viene miscelata con polvere
di ferro per produrre un colore blu. Non è tossica, ma
quando viene a contatto con acidi libera gas tossici.

Citrato ferrico di ammonio (Tecnica cianotipie)
Sostanza irritante per gli occhi, per la pelle e per le mucose
respiratorie. Indossare indumenti protettivi, guanti, occhiali
e maschere respiratorie.

Diossido di titanio
Questa sostanza polverosa bianca si trova fra gli strati delle
pellicole istantanee autosviluppanti (integral). È un agente
sbiancante utilizzato comunemente nelle pitture e in molti
alimenti e non presenta particolari rischi.

Indice